アカデミック・スキルズ

大学生のための知的技法入門

第3版

Academic Skills: Note-taking, Information Literacy, Critical Reading, Making Presentations, Writing Papers, etc.

佐藤望 編著
湯川武
横山千晶
近藤明彦

JN028856

慶應義塾大学出版会

第3版の出版にあたって

本書は、現代を生き抜くための「知の力」を、大学で身につけようとしている皆さんのための本である。大学では、既存の知識を身につけるだけでなく、世の中に溢れる情報を精査し、整理し、問題を発見し、さらにその問題を解決する方法を見いだして、自分なりの結論を導き、それを人に効果的に伝えられるようになることが期待されている。この本では、そのひとつひとつの作業に関わる技術を、なるべくわかりやすく解説している。具体的には、レポート・論文の作成、研究調査と研究発表の実施に直接的に役立つ内容となっている。

本書を手にした大学生の皆さんには、すべての物事について批判的に考え、自律して思考する力を、大学生活を通じて身につけてほしい。この本は、その手助けとなることを目指して書かれている。

この本はもともと、大学1〜2年生の初級セミナーなどでの教科書として書かれた。初版以来、累計12万部以上が学生の皆さんの手元に届けられた。その間、学生や教師の諸氏からたくさんのフィードバックをいただき、第2版、そして今回の第3版の改訂に役立てていった。

本書の成立は、慶應義塾大学教養研究センターで行われたリベラル・アーツ教育のための実験授業「アカデミック・スキルズ」での取り組みにさかのぼる。本書は、そこでの教授内容を土台に作られた。第1と第4章は故湯川武、第2章は横山千晶、その他の部分は佐藤望が行った授業をもとにしている。初版の出版の際には、佐藤望がとりまとめ全体としての統一を図った。第3版は、佐藤望が全体の改訂案を作り、横山千晶と内容を精査して完成した。

第3版での主な修正点は以下の通りである。まず第一に、初年次教育はもちろん、卒業論文を準備する段階でも、基礎を確認するため参照するに耐える記述となるよう、加筆修正していった。本書に寄せられた声には、本書が上級学年のセミナー論文やレポート、また卒業論文をまとめる際にも十分に役立つという内容が多かったためである。

第二の修正点は、出版物や情報伝播手段が紙からインターネットにシフトしつつある現状を反映したことである。第2版の出版から7年間、情報技術の発展とそれに伴う莫大なインターネット上の情報蓄積は、学問研究に大きな変化をもたらしている。第2版を読み返して、この短期間にその内容の一部が相当に古めかしいものになってしまっていたことに驚愕する。この変化は、主に第3章の大幅な改訂に反映している。

　第三の大きな改訂点は、巻末の「書式の手引き」の全面改定である。近年、文献表記の書式が、著者・出版年の順に書かれるケースが増えており、その変化に対応した。また、電子化された情報を文献表や注にどのように掲載するかが、第2版では曖昧となっていた。その問題を改善した。

　また、各章末には、「アカスキ・シリーズでもっと学ぼう！」という項目を加えた。慶應義塾大学出版会による「アカデミック・スキルズ」の教科書シリーズは、現在本書以外に6冊が出版されている。さまざまな疑問をもった学生が、これらの教科書からより詳しい記述に触れることができるようにという配慮からである。本書の至らない部分を、同僚諸氏によって執筆されたこれらの本が補ってくれることを確信している。

　調べ、読み、書き、まとめ、伝える一連のリテラシーを学ぶことの重要性は、いくら情報化が進んでも、またどのような学問分野であっても、少しも揺るがない。4年間のどの学習段階の学生も本書を繰り返し参照することによって、次のステップへ進むきっかけを掴んでほしい。

　本書の出版は、慶應義塾大学でアカデミック・スキルズ授業に関わった多くの教員各位の助言と支え、また慶應義塾大学出版会の編集者諸氏の粘り強い努力、そして授業に参加してくれた学生諸君、読者諸氏のさまざまなフィードバックによって実現した。これらのすべての方々に、心からの感謝を表したい。

2020 年初春

佐藤　望

横山千晶

Contents

第 1 章

アカデミック・スキルズとは

1.

アカデミック・スキルズとは

　教育の目的は、学問を通じ、幅広く深い教養をもち、社会性豊かな人間を育てることである。さまざまな議論があるかもしれないが、ここではこのことを出発点としよう。

　「教養」を身につけるためには、まず基礎となるものを学んでおかなければならない。「教養」という建物を大きく高いものにするためには、しっかりとした強固な基礎が必要である。

　それでは、「教養」の基礎とは何か。よく「読み・書き・そろばん」と言われるが、文字を読むこと、書くこと、数量的な概念と技法をもつこととは、人間社会が高度の文明文化を継承し、発展させるために最低限必要な能力である、とされてきた。教育制度が、いまのように整ってない時代から、子供たちや若者の教育は、この3つの養成を目指していた。

　本書で説こうとする「アカデミック・スキルズ」とは、本質的に同じような意味をもつ。それは、学問の目指すより幅広く深い教養を身につけるための基礎的技術、「大学で学ぶための基礎的技法」である。大学で学問を行う者にとって、必須の技法あるいは技術のことを、本書では「アカデミック・スキルズ」と呼ぶことにする。「アカデミック・スキルズ」は、教養そのものではない。これから一生かけて築いていく幅広く深い教養を積み上げるための、基礎となるものである。

◉問いの発見

　高等学校までの学習では、多くの知識を暗記することが求められることが多い。しかし最近では、「既存の知識を暗記するだけではだめだ、自分で考えて答えを出しなさい」とよく言われるようになっている。それに、戸惑った人もいるだろう。

大学では、出される課題がより複雑になる。その答えを出すには、さらに多くの背景知識を必要とする。さらに、大学の勉強では、「**問いそのものを自分で発見する**」ということが求められる。そして、その問いに教師は、必ずしも決まった答えを用意していない。というか、決まった答えは往々にしてないのである。しかし、決まった答えがないからと言って、どんな答えも正しいというわけではない。自分自身で、明確な根拠を示し、論理的に説得できる答え、それが正しい答えとなる。それだけではない。そこで導き出された答えは問いの考察そのものに貢献することでもある。

ますます情報化が進む社会の中では、情報を評価し、精査し、取捨選択する能力が求められる。私たちに突きつけられているさまざまな問題がどこにあるのか、その問題を解決するために、より価値の高い情報とは何か、それを見極め、より説得力のある答えを出していくこと、その答えを通して広く問いの考察に貢献する気概をもつこと、これが、大学における「学問」である。

● なぜ自分で問いを発見しなければならないか

皆さんは日常のなかで、ある問題について考えれば考えるほど何が何だかわからなくなる、という経験はないだろうか。実のところ世界に存在する困難な問題のほとんどは、考えれば考えるほど問題の所在がどこにあるのかわからなくなってしまうものである。そのなかから、本当の問題の所在はどこか、その問題の本質は何か、ということを自ら発見する能力が、大学では問われている。

実際、答えを導き出すことより、問いを発見することの方がずっと困難な作業である。問題が適切に発見できれば、その問題は8〜9割方、解決していると言うこともできる。

問題を発見するためには、幅広い基礎知識に加え、理解力、洞察力、思考力、感性が必要となってくる。大学で知的技法を身につけることとは、基礎知識の暗記だけで終わらない、理解力、洞察力、思考力、感性の部分を錬磨するということでもある。それこそが大学で身につける「**教**

養」である。

2.

「知」とは、「教養」とは

● 教養と人間生活

　混沌とした世の中を生き抜いていくためには、そして豊かな人間生活を送っていくためには、幅広く深い「教養」が不可欠である。教養とは、**多角的なものの見方であり、問題を発見し解決することのできる力である**と言うことができる。私たちが、将来どのような道を歩むにしても、一見目的にかなっていると思った行動に、思わぬ落とし穴が潜んでいることがある。利潤を一直線に追求しようとした経営者や、権勢拡大のみをめざした政治家が、その手段を見誤り思わぬ犯罪に手を染め、自らをおとしめてしまうという例は、枚挙にいとまがない。

　教養がある人間とは、**多角的にものを見て自らを客観化し、問題発見をしながら正しい道を見いだしていくことのできる人間**である。そして教養は、経済的に豊かであるということと別の意味で、豊かな人間生活を保証するもののひとつである。

　基礎的な教養がなければ、専門知識や技能を身につけることができない。しかし、現代社会は、特定の専門的知識や技能をもっているだけでは立ちゆかない社会となっている。専門知識はつねに流転するし、専門技能もやがて陳腐化するからである。そうした知識や技能をさらに上へと高めてくれるものも、また教養である。つまり、**教養とは、人が一生をかけて追求するべきものなのである。**

　言葉を換えれば、次のように言うこともできるだろう。人は誰でも職業を得て生きていかねばならない。職業は社会の要求に応じて形成され、それに就くにはそれなりの専門知識や技能が必要である。しかし、社会

が変化すると職業に要求される内容も変わってくる。そのときには、それまで培ってきた技能や知識を生かしながら、新しい要求に応じた新しい技能や知識を自らのなかに蓄えていかなければならない。そのことを助けてくれるのが「教養」ではないだろうか。世界や社会や自然や人間活動やその他さまざまな事項について、より広く深い関心を呼び覚まし、理解力、洞察力、思考力、感性を高めることが「教養」であるとするならば、それは**変化に富んだ時代を生き抜くために、しかも豊かに生きるために人が欠くことのできないもの**なのである。

● 知と知識の違い

教養の本質は「知」である。「知」という言葉は、ややもすれば「知識」と混同されがちだが、いわゆる「知識」は、「知」の一部でしかない。伝統的な職人の技はいわゆる「知識」ではなく伝統と訓練のなかで身体に蓄えられた「身体知」である。人類の長い歴史を通じてさまざまなタイプの「知」が受け継がれてきた。文明の営みのもっとも重要な働きのひとつは、このような「知」の継承にある。他方、人類は変化する諸環境のなかで、さまざまな「知」を新たに生み出してきた。文明とは、まさにこの継承と発展から成り立っている。**教養とはこの「知」の継承と発展を支える枠組みである**と言えるだろう。

人はそれぞれの立場で、多かれ少なかれこの「知」の継承と発展に関わっている。ことに大学で学ぶ者には、社会からこの点において大きな期待が寄せられている。さまざまな「知」の継承と発展こそが、大学のもっとも大きな使命であり、学生はこの社会からの負託に応えるために、自らのもつ知的能力を生かし、かつ伸ばしていかなければならない。

● 論理性と批判的態度

「知」の継承と発展において、もっとも大切なことは、論理性と批判的態度を養うことであろう。論理的に考え、かつ伝えること、そして何事も鵜呑みにはしないで、自ら確かめたり、検証してみようとすること。このような知的な態度は、ひとりひとりの、ひいては社会全体の「知」の

継承と発展に不可欠である。

　教養を身につけるのに非常に重要なことは、英語で言うならば、"How do you know what you know?"と問うことではないだろうか。私たちが何かを知りたいと思ったら、インターネットで検索をかけると、多くの情報が提供される。しかし、そこには正しい情報に混じって、不正確な情報、誤った情報も非常にたくさん含まれている。伝聞で聞いた内容を鵜呑みにして信じ込み、それを無意識のうちにうわさ話として拡げてしまったという経験をもっている人も多いだろう。だが、よくふり返ってみよう。われわれが「知っている」と思った情報は、どこから来たのか、本当に正しい知識なのか、それは信じるに足ることなのか。このように、**私たちが知っていることをもう一度問い直し、確かめてみること**、これが批判的な検証であり、本物の知識の構築には欠かせない作業だ。

　もちろん、何でも疑ってかかれと言っているわけではない。また、批判的検証とはむやみに反対のことを述べて、あまのじゃく的な批判をするということでもない。自らの知識と経験に照らしながら、あることが正しいと判断できるか、その事項の信憑性があると判断するに十分な根拠があるか、ということをとらえ直していこうとする批判的態度が、知的な活動、学問において重要な基本態度である。

●アカデミック・スキルズのサイクル●

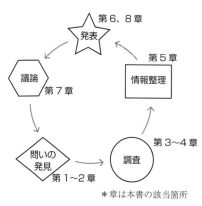

＊章は本書の該当箇所

◉ 知のスパイラル──高み目指して

　本書は具体的には、問いを立て、調査し、情報を整理し、プレゼンテーションや論文のかたちで発表するという、大学における知的作業の一連の流れを解説している（左図を参照）。これらの1サイクルの作業は、必ず新たな問いの発見に繋がる。あるテーマについて取り組み、そ

れを発表し議論するうちに、また新たな疑問が生じてくるのである。

　これらの作業は、単なる循環ではない。1サイクルが終わり、さらなる問いを発見をしたときには、その問いはよりレベルアップした問いとなる。そしてその循環は、螺旋をたどって繰り返され、高みへと向かっていく（右図を参照）。ここに学問の醍醐味がある。

●アカデミック・スキルズのスパイラル●

さらなる
知の高みへ

卒業論文

セミナー論文

レポート

　このサイクルは、初学者、卒論段階の学生、大学院生、講師や教授たち、のみならず社会に出たときに人々が行う調査や研究に関しても、同じように当てはまる。もちろん、高学年になって専門分野が決まってくると、その専門ならではの研究方法や知識はある。しかし、問いを発見し、一定の方法論を定めて研究し、発表をし、議論し、新たな問いを発見するというサイクルは、文系・理系どの学問分野でも、同じである。

　本書で解説するアカデミック・スキルズは、できれば大学入学後なるべく早い時期に身につけてほしいものである。しかし、より専門性の高いセミナー論文や卒業論文を書く段階で、その必要性・重要性に気がつくことも多いだろう。その時にも決して遅くない。いや、それに気づいたときにこそ、本書の各部分を丁寧に読み、自らの学びに生かしてほしい。卒業論文の作成には、迷いや挫折がつきものである。しかし、つまずいたときにこそ、本書を広げてみてほしい。必ずそれを乗り越えるヒントが見つかるはずである。つまり本書の利用そのものが、皆さんの知のスパイラルへと繋がるのである。

3.

「知」と「教養」を伸ばす

● アンテナを張る

　大学には、高等学校までの段階では想像もつかなかった数の科目が用意されており、いったい何を学び研究するのかもわからないような学問分野の科目がたくさんある。初めから大学に入ったら、何を学ぼうという目標をもっている学生もいるだろうし、入ってから考えようという学生もいるだろう。いずれにしても、大学に入ったらアンテナを広く高く張って、自らの知的世界と見識を広げていくためには、どうすれば良いかということを授業のなかから感じ取って欲しい。まずは自分がどんな事柄に興味があるのか、その事柄をどのように見ていくのかをじっくり考えてみよう。そしてひとつの事柄を見るにも、いろいろな観点があり、その観点に対応したさまざまなアプローチの方法があることを、授業を通して学んで欲しい。

● 何に興味があるか、テーマを見つける

　とにかく好き嫌いの先入観をもたずに、さまざまな観点やアプローチの仕方に触れてみることがまず大事であるということは、いま述べた。しかし、関心をもった事柄や分野すべてについて、短い時間で、より高度にかつより深く極めることは普通の人にはできないことは明らかである。もっともっと広く深く学ぶことは、とりあえず将来のこととして、まず基礎を築かなければならない。そのためには先ほども述べたように自らの知的関心、あるいは知的好奇心がどこにあるのかを見つけ出すことが大切であろう。

　何に興味を惹かれるか、何が面白いと思うか、自らによく問うことが必要である。初めのうちは、自分が関心や興味があるのは、いったい何

なのかはっきりわからない人もいるかもしれない。また、それとは逆に、関心のあることがあまりにも多くあって、あるいはあるような気がして、自分でも収拾がつかない人もいるかもしれない。どちらの場合でも、自分に問い直してみる必要があるだろう。本を読んだり、他人の話を聞いたり、その他さまざまな知的体験を積んで自らの考えを深めていく必要がある。そしてその結果、何かひとつだけでも自らの知的関心を引きつけるものを見いだすことができれば大成功である。あるいは、漠然とした多数ではなく、いくつかの異なる分野に絞り込むことができれば良い。

● なぜ面白いと思うか、他人にもそれを説明できるか

　自分自身の知的関心や興味の対象のテーマや分野が、ひとつ、あるいは、いくつか見いだせたら、それが自分にとってなぜ「面白い」のか問うてみよう。人間が何かを選択することには、極めて多様な要素が絡んでいる。直感的な「好き、嫌い」とか「楽しい、つまらない」といった説明しにくい部分もあるだろう。しかし、**知的関心の対象であるからには、知的な判断、すなわちきちんと順序を踏んで論理的に説明できることがあるはずである。**そこのところを自らきちんと整理して考えてみると良い。

　一言で言うと簡単な作業のように見えるが、実際にはこれはとても難しい作業である。自らの知的世界の全体像のなかで、取り上げるテーマや分野がどのような位置を占め、どのような意味をもっているのかを見極めるということに他ならないからである。ただし、このような作業をまず完全にしておかなければ次に進めないというわけではない。そうするには人の一生はあまりに短いし、人の心と頭はあまりに揺れやすいからである。むしろ、不完全ながらとりあえずの整理をつけて、前に進むしかない。ただし、自らに「なぜ」と問い続ける心構えだけは忘れないようにしたい。

　ここでもうひとつ大事なことがある。それは、**自分なりに整理した「なぜ」を他人に説明すること**である。他人に説明するには、自分のために整理した以上に論理的に丁寧に整理しなければならない。自分にとっ

てはよくわかっているので説明不要のことであっても、他人には論理の飛躍や逸脱としか取れないこともしばしばあるからである。

　他人に説明する際にはAだからB、BだからCときちんと順序を踏まなければならない。このことは、論文やレポートを書く場合にも当てはまる。物事を考えその結果を他人に伝えるためには、きちんとした論理がとても重要な「鍵」となる。

● 知的自己確認＝アイデンティティの確立

　自分がどんなことに関心があるのか、何を面白いと思うのかを知ることは極めて重要である。そのためには、まず自分で自分に問いかけ、そして自分のなかに答えを見つけ出し、そしてそれを確認しなければならない。まさに自分探しである。つまり「私はいったい何者であるのか」という問いを広い世界のなかで、問うことである。このような経験なしに、自己を確立することはできない。この経験は、与えられた課題をこなすだけでなく、積極的に自分の興味や関心を見つけ出し、それを伸ばしていくことにつながる。またそのような興味や関心を作り出してきた背景を知り、さらに異なる知の世界へと自分をひらく土台ともなる。自分自身を客観的に見つつ自らを確立していくこと、これはすなわち自らのアイデンティティの確認となる。

　自らが見いだした知的興味や知的好奇心を大事に伸ばすと同時に、それを広げ深めるように努めること、また絶えず客観視して見直すことも忘れてはならない。これこそが自分だと言える何かをしっかりともつことは大切であるが、それに固執し自縄自縛の状態にならないように、つねに柔軟な知的感受性も養う必要がある。

4.

問いを立てる──研究の出発点

●学問＝「学んで問う」

　たとえ完全で明確にではないにしても、自らがいま（もしかしたらこれからの長い間）学び、研究したい分野やテーマが少しずつ見えてきたら、次のステップに進もう。

　大学とは、自ら選んで入る高等教育の場である。自ら選ぶということは重要な意味をもっている。すなわち、そこは何らかの強制力を感じさせる「勉強」をする場というよりは、基本的に「**学問**」をする場だからである。

　それでは、「学問」とは何であろうか。「学問」の定義はさまざまであろうが、本書の主題に関連して言えば、**「学」んで「問」う**ことである。大学に入ると、これまでに触れたことのある分野や事項もあれば、まったく聞いたことも読んだこともないような新しい分野もあることに気付くだろう。大学の授業は「○○学」とか「××論」とかいうような名前がついているものが多くある。それ以外のものも含めて、すべてが広い狭いは別にして特定のテーマを扱っている。このテーマは言い換えれば、「問題」である。授業では教師がある時間をかけて、その「問題」を説明し、結論となる「答え」に至る方法やその過程の具体的内容、そして結論としての「答え」そのものについて講義する。

　学生もこれと同じ道筋をたどって「学問」するのである。授業を通じ、また自らの学習経験を通じて、自らの知的関心＝学問的関心がどのあたりにあるのかを探るのが最初のステップだとすると、第2のステップは関心をもった分野やテーマについて、何が問題なのかを考えることである。自分なりに「問い」を立ててみること、これが重要である。よく「あの人は学問がある」とか「教養がある」とかいう表現が使われるが、

幅広い分野の基礎知識をもっていて、その知識の量をひたすら増やしているだけでは、本当の意味での学問をしたことにはならない。既にあるものを受け継いだという受動的な意味しかない。「学問」とはそのうえに、**自らが関与するという能動的な面を必要としている**のである。

● 「問い」を見つける

　自ら能動的に問いを見つけるという作業は、そうたやすいことではない。それはひたすら経験と実践によって身につけることができる能力だからである。自分の頭のなかで直感的に鋭い「問い」を投げかけることのできる学生もたまにはいるが、多くの学生はこれまで学んだことのなかから、いろいろと考えて「問い」を見つけていくだろう。ここで発揮されるのが、前にも述べた「**知的好奇心**」と「**批判的態度**」である。私たちは自分が関心をもったテーマや分野について、大学の授業、書物、インターネット、その他の媒体を通じて、さまざまな知識や研究成果を知ることができる。そこから生じた疑問や批判は、どんなに幼稚と思えることであっても、どんな些細なことであっても大切にしておくと良い。絶えず自分の問題を見つけようとする態度こそが肝心である。そして、その「問い」をノートの端にでもメモしておくと良い。学べば学ぶほど問いは増し、内容的には深くなっていくはずである。

● 個人的な「問い」から学問的「問い」へ

　これから調査や研究を進めていくにあたってさしあたり設定したテーマや問いが、レポートや論文、あるいは口頭発表（プレゼンテーション）といった学問的成果にまで到達できるかどうか、ということを初学者が判断するのは難しいかもしれない。

　いずれにしても研究の過程では、**これまでもっていた個人的な「問い」を、公共的・普遍的な「問い」へと変えていかなければならない**。実際の研究発表やレポートのなかにおける問題設定の仕方については、「第6章　研究成果の発表」のところでもう一度詳しく述べることにするが、学問的な問いは公共的・普遍的なものでなければならない。

「今日何が食べたいか」という問いは学問的な問いになり得ないが、「どのような食べ物が体に良いか」という問いは学問的問いになり得る。「留学生の張君はどんな幼少時代を過ごしたのだろう」という問いは極めて個人的であるが、「中国福建省の現代初等教育制度について」という問いは、やりようによっては立派な学問的テーマとなり得る。

　研究テーマが、個人的な問いから発しているということは決して悪いことではない。しかし、それが主観的な問いにとどまっている限りは、それを研究テーマにすることはできない。例えば、「私はなぜ花子さんが好きか」という問いは、それ自体あまりにも個人的な問いである。「私」を主語にした感情的な思いに基づく問いは、学問的「問い」とは言えない。私が花子さんにあこがれるその思いはたしかに人間一般に通じる思いかもしれない。しかし、それは広い意味での文学の題材になり得ても、学問的研究そのものではない。学問研究の問いは、一般的正しさや妥当性を論じるものでなければならないからである。もちろん、この問いを「愛とは何か」という問題に置きかえることができるならば、方向としては正しい方向に進んでいるということができる。しかし「愛とは何か」というタイトルで論文やレポートを書くことはできない。後でも述べるように、それはあまりにも多義的でつかみどころがない問いだからである。しかし、「万葉集における愛の表現について」とすれば、そこから的確な学問的問いを導き出すことは可能になってくる。

5.

研究テーマの三箇条

　テーマとその問題設定をはっきりと定めることは、実際には論文を書く段階になって初めて可能となるが、とりあえず研究の方向性を定めるために「仮」のテーマを決めたり、問題設定をしたりする際には、以下

の点に注意すると良いだろう。

◉ 第1条　対象が明確か

　第1の条件は、扱おうとしている対象がはっきりしているかどうかということである。これは、言い換えれば、**問題がひとつに定まっている**かということである。初学者はしばしば、抽象的で対象のはっきりしないものをテーマにしようとすることがある。例えば「宇宙とは何か」という問いは、さまざまな意味で根源的な問いではあるが、実際にはこれを初学者が論文のテーマにすることはできない。表面的にはひとつの問いのように見えるが、いくつもの問題を含んでおり、あまりにも漠然として答えが出せなかったり、あるいはどのような答えでも成り立つような問いだからである。しかし、この問いは「いま私が『宇宙』について一番知りたいと思うことは具体的に言うとどんなことであるか」という問いに置き換えれば、学問的な問いを導き出すことが可能である。その他、前述した「愛とは何か」、「人間にとって『見る』こととは何か」とか、「なぜ『命』は大切か」、といった問題も、あまりにも大きな問題であり、さまざまな問題を複層的に含んでいるため、そのままでは研究テーマにすることは難しいだろう。しかし、それを出発点として、問題をひとつに絞り込んでいけば、そこからすばらしい問いとその答えを導き出すことは十分に可能である。

◉ 第2条　方法が明確か

　学問において重要なことは、その対象よりもむしろ方法である。つまり、何を研究するかという以上に、**いかに研究するか**ということだ。学問には比較研究や事例研究、資料批判研究、実証研究、理論研究などのさまざまな方法がある。それぞれについての説明はとりあえず置いておくとしても、調査研究の各段階で、いま何をどのように調べていけば良いかという方向性がつねに見えていることが大切である。

　研究を続けていると、次に何をどう調べれば良いかわからなくなり、研究活動そのものが暗礁に乗り上げてしまうことがよくある。これは、経

験を積んだ研究者にも頻繁に起こることであり、初学者にとってはなおさらである。もし、次にどういうステップへ進めば良いかわからない場合は、問いの立て方、問題設定の仕方、テーマ設定に何らかの誤りがある可能性を疑わねばならない。別の言い方をすれば、研究活動はつねに進めていけるところから進めていくのが良い。

　方向性がつねに見えていることが大切といま述べたが、初めの段階で最後まで見通しが立っている、すなわち結論が見えている必要はもちろんない。そうだとすれば研究をすることそのものの意味がないだろう。しかし、このような方法で調べていけば、ここに到達できそうだという見通しはつけておいた方が良い。そうした見通しは、経験を積めば積むほど見えてくる。教師や先輩に相談するのも良いだろう。

　もう一度言おう。**先に進めなくなったら、何かが間違っている。**もとに戻って考え直し、進むことのできる箇所を探そう。

●第3条　扱う情報量が使える時間に対して適切か

　現代の大学生は忙しい。サークル、バイト、語学、インターンシップ、ダブルスクールをこなしながら、がんばる学生も多い。そのなかで、レポートや論文にどれだけ時間を割けるか、悩む学生も多い。大学生活のタイム・マネジメントは極めて重要である。

　初学者は、とてつもなく大きな問題を取り上げることがよくある。その問題について調べようと思うと、莫大な資料を検討したり、壮大な実験やフィールド・ワークを行う必要があるといった問題である。そうでもなくても時間がないときに、そういうテーマを取り上げては、その議論は必ず破綻する。

　また逆に、あまりにも特殊すぎる問題で資料がまったく手に入らないとか、手に入れるのにとても時間がかかる場合もある。手に入る材料（資料）の量が使える時間に対して適切かということは、必然的に扱う問題の範囲を限定することにつながる。

　資料が少なすぎる場合より、資料が多すぎる方が問題設定は正しい方角を向いていると言うことができる。そこから、手に入れられる資料・

文献と、自分の興味と能力をすりあわせ、与えられた時間を考慮しながら、テーマを絞り込んでいこう。

テーマを設定したのは良いが、情報を処理する能力がなく、研究ができない場合もある。例えば、ほとんどの文献が母語以外の言語で書かれている場合である。大学に入ったのだから、英語の資料くらいは自由に使えるようになって欲しいものだが、自分が堪能ではないロシア語やポルトガル語で書かれた文献を読まないとどうにもならない問題は、現時点ではテーマとして適切でない。

またある特定の学問分野にはその分野を扱う際にどうしても必要となるスキルがある。例えば、経済学における統計の知識や、音楽学における和声の知識などである。より大きな問題を扱うときには、これらの基礎的知識や基礎的技能が非常に重要な武器となる。これらなしには、それほど大きな問題ではなくても、ごく表面的なことしか言えないというケースは多い。**大学生活の早い時点で、自分が目指そうとしている学問の基礎的知識や技能の重要性に気がついて欲しい。**大学のカリキュラムが、初期の段階で、外国語や数学、情報科学、その他の基礎的技能を身につけることに重点が置かれているのはこのためである。もしそのような問題について研究したいと思ったら、とりあえず今学期のレポートのテーマにはせず、しっかり温めてその言語や技能の習得に励もう。君たちの柔らかい頭脳をもってすれば、そしてどうしても取り組みたいという情熱さえあれば、2〜3年後には君たちはその情熱を土台に見違える人間になっているに違いないからである。

もっとも、適切なテーマ設定が最初からわかっていることなどあり得ないし、その必要もない。最初の時点ではどんなテーマでも良いから、とりあえず決めたらそのテーマについて調べてみる。文献を調べたり、それらを読み進めたりする過程で初めて、初めはぼんやりと、そして後にややはっきりとそのテーマが適切なものかどうかが見えてくる。上記の三箇条に照らしてみて、これは難しいぞということがわかれば、それだけでも前進しているのだ。その過程で、問題を絞り込んでいったり、方向転換の必要性に気がつくことは、大いなる「進歩」なのである。

6.

出発にあたって知っておくべき大切なことがら

　これからつくられる研究の成果は、さまざまなかたちで外に向かって発信される。その代表的なものが、論文やレポートである。そこで、研究を始めるにあたってあらかじめ知っておかなければならない大切な事項をここであげておこう。

● 公共性、そしてそこから生じる権利と責任

　「外に向かって発信する」ということは、大学に提出するということも含まれる。レポートや論文は公共のものであって、教師に対する個人的メッセージではない。ここで発信された成果は、何らかの意味で「社会性」「公共性」をもつことになる。やや大げさに聞こえるかもしれないが、このことは早い段階から心に留めておくべきである。読者の範囲が広かろうと狭かろうと、**いったん発信されたものは「私のもの」でありながら、「公共的な」性格をもってしまう。**当然ながら、そのことからさまざまな権利と責任が生じてくる。

　成果の内容は「私のもの」であるということは、すなわちそれは著作権という法的権利によって守られるということである。著作権は成果が外に向かって発信されると同時に発生し、それを他人が勝手に「自分のもの」とすることは許されない。当然、著作者はその内容に関して公共に対する責任をもつ。

● 丸写しというドロボー行為

　以上に述べたことは言葉を換えれば、他人の著作権を侵害してはならないということになる。大学の科目で出されるレポートでよく見かけるが、いくつかの本から適当な箇所を丸写しし、それを貼り合わせて自分

の名前で提出する者がいる。もっとひどいのは、インターネットから文章を丸ごとコピーして貼りつけ、レポートに仕立てるという行為である。これは明らかに許されざる著作権侵害行為である。先人の知的な努力の成果を利用することなしに人類の社会や文化の発展はあり得ないが、他人の著作を利用するには、それなりの礼儀作法があり、それを守らない場合は「剽窃」という犯罪をおかしていることになる。もっとわかりやすくいえば、単なるドロボー行為である。

　他人のレポートをそのまま利用するという不正を行う学生がときたまいる。その著作者が良いと言えば丸写しで提出しても良いかといえば、それも間違っている。それは、人の著作を自分のものとして公表し利益を得る（この場合は単位を取得する）という詐欺行為だからである。大学における単位は自ら知的な蓄えを増やしたという証しとして取得されるものである。単位は、自分自身で取るものであって、人から与えられるものではない。こういう行為を見逃す教師もときどきいるかもしれないが、教師の目は逃れられても人間として恥ずべき行為であるということに変わりはない。もちろんそれが発覚したときの責任は、当然免れない。

●自分のレポートを他人に写させてはならない

　お互いにレポートを見せ合い切磋琢磨することは、決して悪いことではない。しかし、もし見せた相手が自分のレポートを写して提出したら、それは上記で述べた理由で、不正行為への加担となる。いくら良いレポートや論文を自分の力で書いたとしても、不正行為に加担したとすれば、写させた側も、その重大な責任からは決して逃れられない。

　「俺、単位足りないからレポート見せて」という友人には、その真意を見極め、気をもたせるようなことは一切言わず、大切な友人のためにもきっぱりとノーと言おう。そのときにノーと言うきまりの悪さは、後で知ることになる責任の重大さと友情の崩壊よりはるかに軽微なものなのだ。

スマホを活用し、3分でレポートを仕上げる方法

　インターネットの出現によって、あらゆる情報を瞬時に簡便に得られるようになった。これによって、自分で図書館に通い、丹念に本を読み、ノートを取ってまとめるという作業を行わなくても、簡単にレポートを仕上げることが可能となった。

　例えば、「モーツァルトの後期の交響曲を1曲取り上げ、その成立背景と特徴について論じなさい。」という課題が与えられたとする。

　その方法は簡単である。①まず、スマホでググる。Google 検索で、「モーツァルト」、「交響曲」と入れると、YouTube での人気動画と Wikipedia の「モーツァルトの交響曲」が上位に現れる。とりあえず、Wiki の項目を覗いてみると、ずいぶんたくさん交響曲があることが分かる。②その中から「ジュビター」という名前がかっこいいから、それに決めて、ジュビターをクリックする。そうすると「交響曲41番」という項目に繋がり、成立や背景、特徴が出てくる。待てよ。Wikipedia を丸写ししてはいけないとどこかで言われたな、と思いだしたので、それをそのままコピペするのはやめにして、③「モーツァルト　ジュビター　成立背景　特徴」の4つの言葉を入れて再度ググる。やはり、Wikipedia の項目が上位に出てくるが、それを無視して、上位に出てくる他のいくつかの解説を適当に選ぶ。④スマホのメールソフト上に上記の文章のうち使えそうな部分ををコピペ、適当に継ぎ合わせて編集する。それを自分のパソコンに送って Word に貼り付ける。パソコン上でネット情報を Word に直接コピペする時は、元の文字書式情報までコピーされてコピペがバレないように、「ホーム」→「ペースト」→「テキストのみ保持」という小技を使う。最後に、体裁を整え、表紙をつけてタイトルと氏名、学籍番号等必要事項を記入して提出する。以上である。

　しかし、この方法は学問の訓練を行う場としての大学で書くレポートとしては、**いくつかのはなはだしいルール違反を犯している。**まず第一に、これまでに述べたような独自の視点による学問的文章に不可欠な

「問い」の設定と「答え」の発見をするというプロセスが完全に欠如しているということ。そして、第二に利用したソース（テキスト）を批判的に評価・解釈した上で、自らの命題と関連づけることを行っていないということである。インターネット上のこの種の文書は、出典を明示せずに不明の資料からの継ぎ接ぎでできていることが多い。そうした文章から新たな継ぎ接ぎを再生産しても、何ら内容のない無意味な作業を行っていることになる。

　出典のアドレスが示されていても、それは切り貼りのだめレポートです、ということを白状しているにすぎない。教師の側が、この種のコピペ継ぎ接ぎレポートを見破るのは簡単である。文体の不整合、書式の不整合、論旨の不整合は、読んでいればすぐわかるし、怪しいと思ったレポートに記された文章の一部を、検索サイトで検索すると、その情報源を突き止めることができる。大量に提出されたレポートの場合でも、また多少文章に加工がされていたとしても、インターネット上に酷似した文章を探し、コピペ箇所を判定するツールもあり、利用している大学、教師も多い。

　そもそも、レポートは自分の頭で考えたこと、知り得たこと、調べたことを自分なりにどう捉えたか、ということを自分の言葉で論理的に示すものである。自分の頭で考えず、ただ人のものを丸写ししたレポートに何の価値もない。

☞ **テスト**

1. 高校までの勉強と大学での勉強のもっとも違うことは何ですか。

2. How do you know what you know? という問いの意味を説明しなさい。

3. 一般的な「問い」と学問的「問い」の違いは何ですか。

4. レポートで他の本の丸写しをしたり、他人のレポートを写して提出することが、なぜ許されないのか、説明しなさい。

5. 研究テーマの三箇条とは何ですか。

※本書の「テスト」に模範解答は用意していない。本書を「批判的に」読みながら、皆さんでより良い答えを考えていただきたい。

📖 **アカスキ・シリーズでもっと学ぼう！**

・集めた情報から問いを立てるヒント

　　　→『**資料検索入門**』15 〜 22 頁

・ダメな問いの設定例

　　　→『**ダメレポート脱出法**』13 〜 23 頁

・テキストに疑問を投げかけ問いを発見する

　　　→『**クリティカル・リーディング入門**』28 〜 42 頁、他

・レポート・論文作成のためのタイムマネジメント

　　　→『**ダメレポート脱出法**』106 〜 130 頁

※「アカスキ・シリーズ」の一覧は 166 頁を参照。

第 2 章

講義を聴いてノートを取る

大学の講義の特徴とノート・テイキング

　学生諸君が大学に入っておそらく驚くのは、教科書が使われない授業が数多くあるということではないだろうか。大学の教員は、それぞれ自分の研究分野をもっている。既存の知識を伝達するだけでなく、新たな知を開拓しながらその意義を学生に伝えることが、大学の教師の仕事である。つまり、まだ書物に体系的に著されていない知識も紹介しながら、オリジナルな授業をつくっていくことが大学の教師の仕事である。なかには、予備知識のない学生に対して、非常に高度な話を聞かせる教師もいて、大学に入って間もない学生は、あまりもの不親切さに面食らうこともあるだろう。

　大学は高校までと違い、何かを与えられるところではなく、自分自身でその「何か」を獲得するところである。そこでは、自己決定と自己責任が試される。自分自身で目標を設定し、その夢の実現に向けて努力をする学生に対しては、大学も大学の教師もさまざまなかたちで力を貸してくれるだろう。それに対して、何か与えられるのを漫然と口を開けて待っていると大学は退屈な場所かもしれない。

　もちろん、大学に入る者が皆明確な目的をもっているわけでもないし、目的をもっていても挫折を経験することもあるだろう。しかし、大学という大海で自分探しをするのも悪くはない。とにかく、講義を通じて、またさまざまな教職員、学生と接するなかで、しっかりと人間観察をして自分自身の問い、そして自分自身の目標を見つけていけば良い。

　大学の講義は、出来合いの知識の伝授に終わらない、学問的な問いを立てることの手本を示す、という目的も含まれている。講義を聴きながら、学生にも自分自身の問いを立てることが促されており、そこから自分の問いに関係する何かを見つけ出していくことが望まれているのだ。

学生諸君も社会に出れば、用意された既知の知識だけでは対応できないさまざまな状況に出くわすだろう。自分がまったく想像もつかなかった知らない文化、考え方、知識、技術、問題点など、人の生涯は未知との遭遇の連続である。将来知的に豊かな生活を送るための準備としても、これらの講義を利用していくのだ、というふうに考えると良い。大学の講義とは、こうした未知の知との遭遇の練習の場でもある。その訓練のひとつがノートを取ることだ。講義でどのようにノートを取るか、すなわちノート・テイキングの技術は、大学での勉強を進めるにあたって大切なアカデミック・スキルズのひとつなのである。

2.

何のためにノートを取るか

◉ 自ら問いを立て、表現する訓練

　ノートを取る。この行為はひとつの気構えで始まる。「ノートを取るぞ」という気持ちになるということは、講義を俺は聴くぞ、私は聴くぞという心構えをつくることでもある。これがないと決して良いノートは取れない。

　もうひとつ。ノートを取るということは、教師がしゃべっていることを漫然とすべて書き連ねるわけではない。つまり、講義の流れをひとつのストーリーとして聞きつつ、同時に組み立てていくという作業である。どのような講義にも物語があるわけだから、その流れを聞き取っていくことである。その流れを、節目、節目、つまり要点、要点でつかんでいくことが大切なのだ。

　講義をする人は、決してわかりやすく話してはくれない。ノートを後で読み直してみると話が支離滅裂だったり、話が大幅に飛んでしまっていたり、脱線ばかりだったり、ということもあるかもしれない。そのよ

うなときには、聴き手自身がその講義を構成し直さなければならない。そのためにもノートを取るのである。

　そして、ノートを取りつつも単に言われたことを鵜呑みにするのではなく、話のなかでここは変だなと疑問に感じたり、あるいはこれは面白いからもっと調べてみようかなと興味を感じたりしたことがあったときは、すかさずノートにマークを書き込んでいくと良いだろう。

　繰り返し言うが、ノートを取るという行為は自分自身の問いを見つける作業である。ノートは、教師の口から発せられ流れていくベタな情報を、生きたものとして広げて立体化していく作業なのだ。これこそが、アカデミック・スキルズのなかのもっとも大切な第一歩である。

3. ノートを取ることは「人間観察」でもある

● 人間観察の技術

　ノートを取るということは技術のひとつであると述べたが、これはまた人間観察の技術でもある。教師はひとりひとり違った人間だ。しゃべり方も違えば、授業のスタイルも違うわけだから、同じノート・テイキングのやり方がすべての教師に有効とは限らない。

　講義が教科書に則って行われるのであれば、教科書を先に読んでおいて少なくとも専門用語についてある程度知っておくと、講義がわかりやすい。

　あと、授業でハンドアウト（レジュメ）が配られるかどうかも大きな違いとなる。ハンドアウトが配られるのであれば、講義のすべてをノートに取る必要はなく、教師がいまどの部分を話しているのかを確認しながら、そこに補足的なメモを書き込んでおく。同時に板書をする授業も

あれば、パワーポイント[1]によるプレゼンテーションで進める授業もあるだろう。

　板書される事項は、そこは大切である、重要なキーワードであるということだから注意しなければならない。しかし、大学の教師は一般に板書が得意ではない。黒板や白板の使い方には、強く個性が出てくるから、そこもよく観察すると良いだろう。

　一番困るのは、何も使わない教師である。つまり語りだけに頼る教師である。この場合こそ、ノート・テイキングの技術が重要になってくる。大学の講義は、将来にわたって永続する未知の知との遭遇への準備でもあるわけだから、レジュメも、板書も、パワーポイントがなくても不親切だなどと怒らず、自分の知的発達のための訓練の場と思って技術をみがこう。レジュメを配る先生、パワーポイントをつくる先生、板書が上手な先生が必ずしも良い講義を行っているとは限らないのだから。

◉ 教師のタイプ別対策法
①ひたすら説明、ときどき板書派
　教師は必ず授業を行うときにノートをもっているはずである。そのノートを再現するよう想像力を働かせることにしよう。ストーリーの全体、アウトラインをしっかりつかむようにメモを取っていく。

　この種類の教師にとって、板書は、聞き取りにくい用語を文字で書くなど、あくまでも補助的な手段であるから、板書だけを写してもあまり意味がない。ひたすら手を動かしながら、各アウトラインに含まれるキーワードを聴き分け、それに下線を引いたり番号をつけたりしながらまとめていこう。

②ひたすら板書派
　授業の内容をひたすら板書しながら、それに説明を加えていくというスタイル。きれいに板書する先生は、きちんとノートに写しなさいとい

1）パワーポイント（PowerPoint）はマイクロソフト社のソフトウェアの商標名。正式名称は Microsoft Office PowerPoint®。近年ではパワーポイントが、一般名詞化して使われているので、本書でもパソコンとプロジェクターを用いたプレゼンテーション一般をこう呼ぶことにする。

う意味でそれを行っているのだから、ひたすら写す必要がある。この種の授業の場合、アウトラインやキーワードは板書されているので、それらを自分で聞き取って書き取るという苦労はない。

　しかし、板書を書き写すだけでは決して十分でない。重要な内容は実は板書されない説明のところで語られている。キーワードを書いたとしても、その意味について口頭で説明されるのが常なのだ。その重要な説明部分も補足的に書き取っておく必要がある。

● 板書やパワーポイントをスマホで撮影してよいか

　情報量が多い板書やパワーポイントのスライドを書き写そうと思っても、間に合わないことがある。その場合、スマホのカメラで撮影してしまえば簡単だ、と思うこともあるだろう。しかし、その際には、注意が必要である。撮影が授業の妨げになることもある。また、大学の講義では、自ら考えながらノートを取るという知的訓練が、学生に期待されている。スマホで撮影するだけでは、それができないからである。

　グラフや図式などをどうしても画像で保存しておきたいと言うこともあるだろうから、絶対的に禁止というわけではない。しかし、その際には、必ず教師の許可を取ろう。また、それを教師の承諾なく他人やネット上にシェアしてはいけない。講義内容は、教師もしくは引用元の著者の著作物であり、その著作権に関して慎重な扱いが必要だからである。

　講義を録画・録音する場合も、まったく同じである。

③パワーポイント派

　これはよく準備され、情報が整理されていてわかりやすい、という印象を与える。しかし、この種の授業には、聴き手は注意する必要がある。パワーポイントの使い方も教師によってそれぞれである。あくまで画像などの提示という補助的な使い方もあれば、口頭で述べる情報のほとんどをスライドにに書き込んで提示する場合もある。とくに後者の場合は、情報が多すぎて、ストーリーの全体がわかりにくくなっていることがよくある。

文字情報の多いパワーポイントの画面をそのまま全部書き取ることは、不可能なことがほとんどだ。そのためパワーポイントの画面がそのままハンドアウト（レジュメ）として配られる場合もある。そうでない場合は、教師に印刷してもらうか、ネット上で閲覧可能にしてもらえないかを尋ねてみる価値はあるだろう。

　しかし、教師にはひとりひとり方針があるので、それが不可能な場合にはその情報源となる書籍や文献を教えてもらったり、自分で探し当てて読んでみることによって、講義の全体像を再構築する必要がある。

④理論派

　教師の話の内容に具体的な例示が少なく、専門用語や論理の説明がずっと続くというタイプの講義もある。そのときには、それらの専門用語や単語が聴き取れているのか、単語の意味、言葉の定義や論理が理解できているかどうか、自問する必要がある。そうでないときにはノートにそのことをきちんとマークしておいて、後で教師や友人に尋ねてみたり自分で調べてみたりして、わからなかったことをそのまま放置しないようにする。

⑤棒読み派

　特別講義や講演などでは、完全原稿が用意されていることがある。そのまま論文にもできるようなノートを読み上げる講義は、しばしば多くの内容が盛り込まれており、論理的にも緻密に構成されていることが多い。

　このスタイルは、現代的な意味の講義というよりもむしろ読書に近いかもしれない。講義者は説明するというより、完成した論理をとくとくと読み上げるわけだから。

　この場合、論理展開がどのように進んでいるか、ということに注意を払いながら、読書ノートを書いていくつもりでノートを取っていくのが良い。その講義のなかでは、もととなっている資料一覧が配られるか、講義のなかで紹介されるはずなので、講義のメモを取ると同時にこれら

の資料を手に入れて読みあさるのが良いだろう。

　このように、ノートを取る技術には、講義の内容に加えて話者の性格をよく観察して把握することも含まれている。講義をする教師がどのようなところに力点を置いているか以外に、身体の使い方、声の調子など、話者としてどのような性格をもっているのか見抜くことが大切なのだ。

具体的なテクニック

　講義にはさまざまなタイプがあるにせよ、ノートの取り方の基本は共通である。

● 書き写すだけではいけない

　板書やパワーポイントの画面をひたすら書き写すだけでは、あまり意味がない。中学や高校の授業の板書は、書く時間・説明する時間をそれぞれ設けてくれた授業が多かったかもしれないが、大学はそうでないことの方が多いからだ。

　キーワードを把握し、聞き取った部分で大切だと思うことを書いていこう。

● 頭から順番に書かない

　講義はある部分は超特急で進み、ある部分は各駅停車で進む。超特急に乗り遅れないようにするためには、説明や板書、パワーポイントを頭から順番に書かずに、最重要と思われる順番に書いていくことが必要である。

● キーワードを把握し、見出しをつけ、ビジュアル化する

その部分で何が一番大切な言葉や事項なのか、その次に大事な言葉や事項は何かを、しっかり聞き取りながら、線を引いたり、四角で囲ったり、印をつけたりしながら進むと良いだろう。

講義全体のアウトラインを把握するように努め、そのアウトラインをきちんと視覚化できるように工夫しよう。

● 余白を取り、そこに「?欄」や「思いつき欄」を確保する

あまりきちきちに詰めて書くと、あとで順番が逆であることがわかったときや、もっと大事なキーワードがあることがわかったときに書き足しにくくなる。適度にスペースを取りながら書くのが良いだろう。

そしてノートを取りながら、わからなかったことに?マークをつけてあとで調べられるようにしたり、疑問に思ったこと、思いついたことなどを書いておく欄を設けると、のちのちレポートなどのテーマを見つける際に役立つ。

● 丁寧に書きすぎない

ノート・テイキングはとにかく時間との勝負だ。ゆっくり書いている暇はない。

コラム ・・・・・・・・・・・・・・・・・・・・・・・・・・・・・・・・・

実例　実際の講義例とノートの取り方

次に簡単な実例をあげておく。ノートは大切な内容順に書いていくのであって、話された順に書くのではない、ということを体験してみよう。

講義例：

「著作権とは、みんなも知っている通り著作物の創作者に対して法的に保証される権利です。知的財産権というものもありますが、著作権と知的財産権との違いをまず説明しますと、法律用語では著作権は知的財産

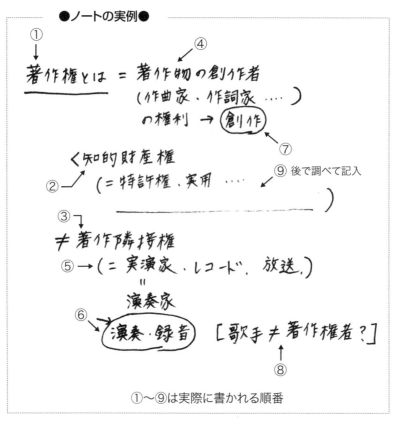

●ノートの実例●

①～⑨は実際に書かれる順番

①～⑨は本文中の番号に対応

権の一部で、知的財産権は特許権、実用新案権、育成者権、意匠権、著作権、商標権などを含みますが、つまり著作権はその一部なのです。一般的に著作権といわれるけれど、法律用語では著作権というのは著作人格権と著作財産権に分かれ、これとは別に著作隣接権というのもある。一般の言葉では著作隣接権のことを著作権と言いますが、一般の使い方と法律用語とはちょっと違う。著作隣接権とは著作権とは異なる概念で、著作権は著作物の創作者、つまり作家や作詞家、作曲家がもっている権利で、著作隣接権は実演家つまり演奏家だな、や、レコード会社、放送局がもっている権利で、創作そのものではなく、演奏したり、録音した

り、放送したりする権利を言うのです。……」

　こんな感じで講義が進んでいったとしよう。いろいろな情報が入り組み、ややわかりにくい文章になっているが、実際の話し言葉での講義を録音して文字にしてみるとこのような感じである。話し手はこのなかで強調する言葉をゆっくり言ったり、強く言ったりしているはずである。それらをもとに、ノートでは整理整頓して書き直す必要がある。

　ここでのテーマは、著作権とは何か、ということであるから、書く順番としては、①「著作権」という言葉を一番上に書いて、その下に②「知的財産権の一部」とか「＜知的財産権」のように書けば良い。＜の不等号は、「○○は○○に含まれる」の意味で使う。おそらく「特許権、実用新案権、育成者権、意匠権、著作権、商標権」を書き取ろうとすると、次の話に移ってしまっているので、短時間には書ききれないから、とりあえずスペースを空けておいて、著作権と著作隣接権の違いに注意を集中する。著作権と著作隣接権とは法律用語としてはまったく違うものだ、ということがわかったら、③下の行に「≠著作隣接権」と書き、その上の空いたスペースに④「著作物の創作者（作家、作詞家、作曲家など）の法的権利」と書き、著作隣接権の横に、⑤「実演家、レコード会社、放送局」と書けば良い。ここでは、知的財産権の説明が書き取れなかったから、あとで調べて書き込めるように、空白に下線でも引いておく（⑨）。また、実演家は著作隣接権をもつ、といわれたが、発売されたＣＤの歌手がもつのは著作権ではないのか、という疑問が生じたとしたら脇に、［　］（ブラケット）の中に⑧「歌手≠著作権者？」と書いておく。［　］は自分自身のコメントであることを示す。

　つまり、ノートは頭から順番にできあがるのではなく、先を仮定しつつ、大事なキーワードから順番に書いていくと良い。

5.

良い聴き手となるために

● 理解力・集中力・表現力

　良いノートを取るということは、良い聴き手になることである。講義をよく理解し、それを今度は自分の言葉で書く、表現するということである。つまり、①理解力、②集中力、③表現力の3つが重要となる。

　つまり、教師が語った言葉をそのまま右から左に写すのではなく、自分自身で解釈し、理解しながら、自分自身で表現し直すのである。たかがノートの取り方と思うかもしれないが、この作業が新たな知を生み出す原動力として、自分自身のなかに蓄積されていくのである。

● シラバスをよく読んでおく

　大学の講義では、あらかじめシラバスが公開されている。シラバスにはそれぞれの講義がどのようなテーマで設けられ、その全体の目的や単元ごとのねらい、講義予定と各回のテーマなどが記されている。その日の講義がどのようなテーマで語られるか、知っているか知らないかでは大きな違いだ。授業に出席する前は、その日の授業が講義全体のなかでどの位置を占めるのか確認しておこう。つまり、教師が、全体の地図のなかで今日はどの位置に立って話をするか、ということをシラバスで確認しておくということだ。

● 講義の流れ、ストーリーを把握する

　講義はひとつのストーリーでできあがっていることはすでに述べた。論の展開に気をつけて、そのストーリーの流れをしっかりと把握することが大切である。そのためには、「でも」、「しかし」とか「だから」、「つまり」とかいう接続詞に注意すると良い。

これらの論の展開や、話の移り変わりの箇所が、教師の仕草から読み取れることもある。注意深く観察すると、その教師のボディ・ランゲージの癖がわかって面白い。

●キーワードは繰り返される

大切なキーワードや概念は、繰り返される。90〜100分の授業でも、教師が本当に伝えたいことは、ひとつかふたつかもしれない。それらは何度も繰り返されることが多いし、そこだけを板書するとか、パワーポイントの字が大きくなっているとか、他とは区別されているだろう。こうした重要度の濃淡を把握する技術を身につけることが大切だ。

●記録は記憶の拡張手段

ノートは忘れないために書くものである。そのとき、覚えたと思っても、翌日、翌々日と次第に記憶は薄れていく。大切だと思ったら、必ずその場で書き留めておこう。

ノートを丁寧に書くとその分時間がかかり、たくさんのことが書けない。ある程度記号を使ったり、略字を使ったりという工夫は必要だろう。しかし、そのとき自分が読めると思っても、後になってみると自分でも何を書いたのかわからなくなることがよくある。字を崩したり、記号を使ったりするのもほどほどにし、他人が見てもある程度わかるような字で書いておこう。

●他人のノートで試験を乗り越える愚かさ

試験前には、大学門前のコピー屋や生協のコピー・コーナーは大繁盛する。ノートをお互いに見比べて勉強するのも決して悪いことではない。しかし、以上述べたようにノートは自分自身に問いかけ、理解したことを表現する訓練のプロセスである。単に記憶すべき情報を書き写したものではない。授業を受けてノートを取る過程で、考える力が蓄えられるのだ。

大学の試験では多くの場合、考え、表現する力が試される。「私と同じノートを使ったのに、どうして私がBであの人はAなの」という疑問を

よく耳にするが、大学の勉強で重視されるのは、もはや記憶力や情報量だけではなく、自ら問い、自ら考えて情報を精査し、表現する力だ、ということがわかれば、こうした質問が愚問であることは明らかだろう。

☞ テスト

ノートを取る際、留意すべきことを正しく述べているものに○、誤りであるものに×をつけなさい。

a. 板書やパワーポイントはつぶさに写すべきである
b. 板書やパワーポイントは重要な内容の順番に写していくべきである
c. ノートは講義内容の頭から順番に取るべきである
d. ノートを取る際、キーワードの重要度の順番に書き、時間の余裕に合わせて重要度の低い情報をメモする
e. ノートは自分が読むものだから、乱雑に書いても良い
f. ノートはある程度、他人が読んでも分かるように書いた方が良い
g. 他人のノートを借りることができる場合は、講義に出席する必要はない
h. ノートは講義の内容だけを書き留めるものである
i. ノートでは、講義を聴きながら自分で考えたことや、疑問に思ったことを欄外に書き留める
j. 同じノートを使って試験勉強をしても成績が異なることがあるのは、教師の成績の付け方に問題があるからである。

📖 アカスキ・シリーズでもっと学ぼう！

・講義ノートの実例

→『ダメレポート脱出法』94〜103頁

第 3 章

情報収集の基礎
——図書館とデータベースの使い方

1.

情報に対するアカデミックな態度

●インターネット時代の情報収集

　生まれた時からすでにインターネットが存在した大学生の皆さんには、「情報はインターネットで」という考えが身についているだろう。何かを調べるには、まずグーグル（検索エンジン Google）で、というのが最初の一歩であると考えるのは当然である。それ自体は、悪くないし間違っていない。

　インターネットで検索される情報は、年々爆発的に増大している。しかし、世の中にはそれをはるかに上回る量の知的情報が存在しており、インターネットの情報はそのごく一部である。また、インターネット情報には、検証された価値ある情報と、検証されていない不確かな情報とが混在しているということも、当然知っておかなければならない。今日の学問において、インターネットは不可欠のツールではあるが、その利点と弱点を知ること、情報の全体像を把握し、価値ある情報を見分けていく能力も、重要なアカデミック・スキルズのひとつである。

　一般的にいって、学問的な作業の用いる情報には、**①文書資料、②映像・音響資料、③取材やフィールド・ワーク**から得られる情報がある。

　①の文書資料は文字や画像によって伝達される資料で、新聞、雑誌、図書、事典・辞書、公的文書、私的文書などがある。これらは、主に図書館を通じて得ることができる。近年は量と重要度を増しつつあるインターネットの電子文書も文書資料の一種である。

　②の映像・音響資料も図書館や専門の資料館に収蔵されるとともに、インターネット上のアーカイブや動画共有サイトでも豊富に提供されている。これらの資料を扱うにもそれなりの知識が必要であるが、本書では詳しく扱わないのでそれぞれ専門の教師や図書館・資料館の司書に指

導を仰ぐと良い。

　③のフィールド・ワークは、その情報が得られる現場に出かけて行って自ら情報を収集することである。まだ、文書になっていない情報を現場で得る必要があるとき、フィールド・ワークを行う。フィールド・ワークには、現場の人や当事者へのヒアリングやインタビュー、現地でしか得られない芸能や芸術の調査や、自然科学の分野であれば各地での生物観察や物質の収集などが含まれる。

◉できるだけ情報の根源へ迫ること、検証された情報を得ること

　アカデミックな作業で情報を扱う基本的態度のひとつは、入手した情報の出所、そしてさらにまたその出所を、これ以上たどれないというところまでたどるべきだ、ということである。情報は伝言ゲームのように、伝達の間に変容していく性質をもっているからだ。情報伝達の媒体は、書籍や雑誌といった紙媒体が現在も依然重要だが、今日インターネット上の電子媒体の比重はますます大きくなっている。インターネットは、最新の情報を誰もが瞬時に伝えることができる、という便利な性質をもつ半面、十分に検証されないままの情報を大量に伝播させてしまう、という弱点をもっている。また、紙媒体のものは、一度公表させたら訂正が困難であるのに対して、電子媒体には簡単に訂正できるという利点がある。しかし、これは同時に欠点でもある。簡単に訂正できるという手軽さから、不正確な情報を公表することへの歯止め機能が、電子媒体は紙媒体よりはるかに弱いからである。

　したがって、インターネット上の情報を利用する場合は、その情報が根源までたどったものであるか、検証された情報であるかということの見極めが特に重要である。

◉一次資料と二次資料

　根源までたどった情報を記した資料は、**一次資料**と呼ばれる。オリジナル資料といっても良いだろう。それに対して、一次資料に基づいて書かれた資料は、**二次資料**と呼ばれている。可能な限り根源まで情報をた

どるとは、可能な限りまずは一次資料を使うべきだということに他ならない。しかし、それにはもちろん、自ずと限界がある。書物を書いた人と同じ経験を再現することは難しいし、極端に言えば既に死んでしまった歴史上の人物に直接会いに行くわけにはいかない。また、現地の言語ができなければ翻訳に頼らざるを得ないだろう。

　ある作家の自筆原稿や異稿をすべて自分で検証することは無理だし、一次資料が入手不可能な場合だってある。その場合は、二次資料を使うことになる。

　二次資料を選ぶ際に重要なことは、その資料の著者が一次資料を直接見て、検証を行っているかを見極めることである。一次資料や情報源が複数ある場合もある。それらに基づいて何かを明らかにしようとする際、その異同を比較したり、お互いの矛盾を明らかにしたり、錯誤を注釈つきで修正したりする作業が必要である。このような作業を、**資料批判**という。こうした資料批判の作業は、ときに非常に専門的な知識や技能を要する。そのため、初学者には手に負えないことも多いだろう。

　歴史上の一次資料は、現在では、専門機関が一次資料をデジタル化し、インターネットで公表していることが多い。例えば、日本の明治以降に刊行された主な新聞は、デジタル・アーカイヴで複写を見ることができるし、海外の書籍、新聞、雑誌を電子化してインターネットで公表する動きも加速している。これは、インターネット時代の大きな恩恵であり、こうした資料も大いに活用すると良い。

　しかし、電子化されていない重要資料も多く存在する。一次情報を得るために、図書館や現場に足を運ぶ労力を惜しんではならない。

　例えば「少子化問題」について調べようとするとき、問題の前提を知るため、なるべく精確な人口データを知る必要があるだろう。人口データは、新聞記事で示してあったり、インターネット上でいろいろなデータが出てくる。まずはそのなかでも、データの出所が明記してある資料が参考になる資料と考えて良い。出所を明らかにし、オリジナルな情報をたどる道筋を示している資料は、アカデミックな手続きを踏んだ資料と考えられるからである。そして、可能な限りその参照先を自分で手に

入れる。そうすれば、日本国内の人口統計に関しては、政府の総務省統計局の国勢調査[1] や厚生労働省の人口動態調査[2] がこれ以上元をたどることのできないもっともオリジナルな情報となる。データに基づいて何かを語るとき、国勢調査のように簡単にオリジナル情報が手に入れられる場合には、二次資料からの引用でなく、それを使うべきである。しかし、それが海外の調査であるなど、直接の情報参照に難儀する場合がある。その場合は、信頼のおける著者や機関が提示する二次資料を使うことが許される。

　二次資料が信頼のおけるものかどうかを判断するひとつの指標は、その資料がオリジナルのデータの出所をきちんとした書式で提示しているかどうかである。いずれにしても重要なのは、ひとつの二次資料の情報を鵜呑みにしないで、複数の二次資料を比較したり、それが元にしたオリジナルな情報を自分自身で手に入れて検証する作業を自分自身で行うことである。そのなかで、さまざまな新たな問いが浮かんでくるだろうし、それがこれから書こうとする論文の核心となる自分自身の学問的な問いを発見するのにきっと役立つはずである。

2.

文書資料の種類、特徴、利用法

●図書、インターネット、データベース、電子書籍

　インターネットの発達・普及によって、今日誰もが「情報収集はまずはインターネットで」、と考えるようになっている。さしあたり、Googleにキーワードを入れて検索するという人も多いだろう。しかし、**検索サ**

1）総務省統計局, 2017,「平成 27 年度国勢調査」(https://www.stat.go.jp/data/kokusei/2015/index.html, 2019 年 7 月 23 日取得).
2）厚生労働省, 2018,「平成 29 年（2017）人口動態統計（確定数）の概況」(https://www.mhlw.go.jp/toukei/saikin/hw/jinkou/kakutei17/index.html, 2019 年 7 月 23 日取得).

イトで引っかかった情報だけを読んで、分かったような気になっては、決していけない。ネット検索で拾った情報が、今得ようとしているオリジナルで検証された情報であるという保証はどこにもない。

　紙媒体の図書は、学問の世界では、依然として重要なメディアである。もっとも検証された、詳細な情報は図書でしか得られないことが、今なおほとんどである。図書の出版には、企画・執筆・編集・刊行・販売の過程で非常に多くの労力と手間がかかっている。今日では、編集者や出版社が存在して、旧来の紙媒体の書籍、雑誌と同じ手続きを踏んで刊行されたものを、インターネットで公表するケースも非常に多い。図書館のデータベースでリンクの貼られた電子書籍や、学会や公的機関のウェブサイトからリンクの貼られた資料、また後に述べる学術書の資料データベースからリンクが貼られた資料は、旧来の紙媒体の図書と同じ信頼度をもっていると考えて良い。

　一定の責任者によって検証されたこうした情報は、全面無料公開ではなく、制作費用を賄うために有料で公開されることも多い。こうした有料データベースは敬遠しがちであるが、有用なデータベースは、大学図書館が購入し利用者に提供されていることも多い。自分の学費の一部がこうしたデータベースの購入に充てられているのだから、卒業までに存分に活用して、知識を身につけていこう。

● 文書資料の種類

　あらゆる文書は、今日電子化される方向に進んでいる。そのため、少し前のように紙媒体図書とインターネット上の2種類を分けて考える考え方は不適切となってきた。紙かインターネットかというのは、媒体（メディア）の違いであって、文書の種類ではない。

　いくら電子化が進んでいるからといっても、紙媒体の資料も依然重要であることから、我々は電子資料と紙資料の両方を網羅的に調べていかなければならない。

　学問的調査で使う文書資料には、おおざっぱに言って以下の5種類がある。

　①レファレンス資料

②単行本

③新聞・雑誌

④学術雑誌

⑤諸機関や個人の公表資料、およびいわゆる「ネット上の情報」

　あるテーマを決めて調べようと思ったとき、これらの資料を順番にあたっていけば、たいていそのテーマがこれまでどのように扱われ、論じられてきたか、どのようなことが現在問題になっているのかを知るための情報が得られるであろう（68 ～ 69 頁のチャートを参照）。

　それでは、次にこれらの資料の性質と調べ方、入手の仕方について、ひとつひとつ解説していこう。

①レファレンス資料

　レファレンス資料は、参考図書とも言う（参考書とは違うので注意）。レファレンス資料には、辞書、事典、文献目録などがある。

　辞書、事典等のレファレンス資料は、現在、電子版が主流となってきている。百科事典など、汎用性が高い事典ほどその傾向が強い。しかし、分野別の事典（例えば哲学事典や心理学事典など）は紙媒体で出版されることが多い。レファレンス資料は、たいていの図書館では、司書のいるレファレンス・カウンターに近いところに集めて、分野別に配架してある。

　あるテーマについて知りたいと思った場合、まずは事典項目を参照するところから始めると良いだろう。

　事典類に掲げられた項目が、必ずしも自分の知りたい内容と一致しない場合もある。ある事典にどのような項目をあげるかは、その事典の編集方針によって異なる。一般的に言って事典には、**大項目主義と小項目主義**がある。前者は大きな項目のなかに、さまざまな細かい事項を含めて書いていく方法であり、後者はさまざまな細かい事項を独立した項目として掲げる方法である。

　知りたい内容に関係する項目を探し当てるには、さまざまなキーワードの可能性を多角的に考え、索引を参照してみると良い。電子版の事典

の場合は、まず項目名を検索し、それで見つからなければ関連する別の言葉を入れてみる。それでもだめであれば「詳細検索」などのオプションを選んで、本文にその言葉が出てくる項目を探してみる。

　例えば、文化人類学の授業で聞いた気がする「黒魔術」という言葉を、「ブリタニカ・オンライン・ジャパン」で調べるとする。

ステップ1
　項目名検索に「黒魔術」を入れる　→　完全一致、部分一致とも0件
　（ここであきらめてはいけない。次のステップに進もう。）

ステップ2
　「黒」をとって「魔術」が含まれる項目を探す　→　2件
　ここで「魔術師」という項目がヒットし、魔術は学問的には呪術という用語で呼ばれていることが分かる。そこで「呪術」という項目を検索するとヒットし、その中に「黒い呪術ないし邪術」という言葉が出てくる。これが「黒魔術」と一般に呼ばれているものの専門用語であることが分かる。さらに「邪術」を検索すると、ブリタニカではこれを「妖術」として項目に立てていることが分かる。そこには、「妖術」と「邪術」が区別して使用されることもあることが、記述されており、さらには、いくつかの関連項目も示されている。

ステップ3
　本文に「黒魔術」が出てくる項目を探す。再度「黒魔術」を検索し、「"黒魔術"で本文を検索」のリンクをクリックすると、国際年鑑に1件と大項目4件がヒットし、その具体例を知ることができる。さらに、「"妖術"で本文を検索」および「"邪術"で本文を検索」すると、前者で50件、後者で12件がヒットし、歴史上また世界各地の妖術の例を知ることができる。

　このように、専門研究者が監修・執筆した事典項目は、執筆者が曖昧なウィキペディアとは異なり、専門家の間で論議されて定着した学術用語の使い方を教えてくれる。一般用語ではなく、きちんとした学術用語

で論述したレポートや論文は、当然、評価が高くなる。

　一般的に事典の記載事項は、研究者間のコモンセンス（一般的合意事項）である。特殊な学説などは通常ここには書かれない。きちんとした方針で編集され監修された事典は、その内容に関してある程度の質的保証がなされていると見て良いが、そこに書かれていることが絶対的に正しいわけではない。事典項目にも、その時代背景や著者の立場が反映されているものだ。**事典の情報を利用したり、引用したりする場合も、鵜呑みにはせずよく検討するのが良い。**

　また、辞書や事典を学問的権威の象徴のようにとらえるのも良くない。多くの事典は署名入りで書かれているので、事典を引用する場合は、「『○○事典』によれば……と述べられている。」のようにではなく、「『○○事典』のなかで山田太郎は、……と述べている。」というように記す方が良い。

②単行本

　レファレンス資料でも雑誌でもない図書を、ここではとりあえず単行本と呼ぶことにする。後述するようにこれには実に多彩な種類のものがある。

　単行本にどのような種類のものがあるかを、ここで詳述する必要はないだろう。大きな書店や図書館のなかを歩いてみると、本の世界の多彩さ、奥深さを実感できるだろう。単行本は、現在のところまだ紙媒体が主体の出版であり、電子化が遅れている分野でもある。単行本に記されている情報は一般に、新聞や報道誌などに比べると速報性には劣るが、十分な検証と論考が行われたものであることが多い。新聞や報道誌は、一定の短い時間のなかで発行されなければならないが、単行本はあるまとまった量の文書を、ある程度時間をかけて編集していくからである。

　これから何か自らのオリジナルなテーマを見つけ、調べて、レポートにするという目的を達成するために、良い本に出会うことはとても大切である。

　良い本に出会うためには、主に2つの方法がある。ひとつは、そのテーマに関連する本を、図書館の蔵書カタログ（OPAC）やオンライン書店のホームページなどで調べ、徹底的に網羅的にリストアップして、

そのなかから選んで行く方法。もうひとつは、図書館のなかをブラウズ（ぶらぶらと歩き回ること）して、本を手にとって探していく方法である。

　蔵書カタログなどのデータベースを使った本の網羅的な調べ方は、「4.資料検索の方法」（59 ～ 71 頁）で詳しく述べるが、検索の際にどのようなキーワードを入れると関連の本が見つかりやすいかが分かるようになるには、ある程度の予備知識と経験が必要である。図書館や書店のブラウズは、適切なキーワードを見つけるための勘を養ってくれるだろう。

　大学図書館の多くは、大学 1、2 年生が使うであろう入門書、あまり専門的でなく難しくない本を開架式で配架している。開架式とは、図書館で利用者が書棚に行って、自分で本を手に取れる収納方式のことをいう。それに対して、閉架式とは目録で探した本を、窓口やオンラインで注文して、図書館員に本を書架から取ってきてもらい、窓口で受け取る方式である。

　日本の総合図書館の非常に多くが、単行本を「日本十進分類法」という方式で並べている。これは、100 番台は哲学、200 番台は歴史学、400 番台は自然科学、700 番台は芸術などとして大きく分類し、10 の位と 1 の位でさらにその細分類を決定した本の分類法である。本の整理番号の一部にこの分類記号を付けて、その番号の順番に並べると、同系統の本がほぼ同じ書架に並ぶという利点がある。図書館の蔵書を検索してある本を探しに行くと、その周りにもっと役立ちそうな本がたくさん並んでいた、などという経験をすることもあるだろう。

　図書館に本が並ぶのは、刊行後しばらく経ってからのことが多い。新刊書はまず最初に書店に並ぶ。何かのテーマを念頭に、町の大きな書店をブラウズするのも、新しい発見に結びつくかもしれない。画面にかじりつくだけでなく、情報は足で稼ごう。

③新聞・雑誌

　ここで説明する「新聞、雑誌」と、④で説明する「学術雑誌」は、総称して**逐次刊行物**あるいは**定期刊行物**とも呼ばれる。図書館用語では、これらの逐次刊行物、定期刊行物を総称して、「雑誌」と呼んでいる。し

たがって図書館用語の「雑誌」は、一般用語の「雑誌」より意味が広い。

　ここでは、報道機関が発行する新聞や雑誌について説明しよう。新聞には一般の日刊紙、全国紙、地方紙、業界紙などと呼ばれるものがある。雑誌には、週刊誌、月刊誌、年鑑、文芸誌、ファッション誌、経済誌、政治誌、業界誌などありとあらゆるものが含まれる[3]。

　「新聞、雑誌」の分野は、近年で一挙に電子化が進んだ分野である。大手全国紙などは、明治時代からの古い新聞記事のデータベース化を終え、紙面を画像データ化し有料で提供している[4]。最新記事が紙の新聞の発行に先立って電子版で提供されたり、電子版専用記事を発行したりする新聞社もある[5]。新聞、雑誌の発行元のホームページを見れば、どの発行物がどの程度電子化され、どのようなかたちで提供されているかを知ることができる。主な新聞・雑誌等のデータベースは、多くの大学図書館が機関購入して利用者に提供していることも多いので、**新聞社のサイトからではなく、所属する大学図書館のホームページから、提供データベース一覧のページを探してアクセスすると良い**。各新聞社・雑誌出版社が、紙媒体と電子媒体にどのように記事を配分していくか、そのタイミングをどうするかは、各社のポリシーや営業方針によってさまざまである。新聞社ウェブサイトの無料公開の新聞記事はすべてではないし、期間を経ると消されてしまう。有料データベース、紙媒体の両方を視野に入れて、綿密に調査しよう。

　この種類のもののなかにも、のぞき趣味的で推測と憶測に満ちたものもあれば、情報をきちんと吟味して掲載するものまでさまざまなものがある。新聞や週刊誌に関しては、記者が現場で直接的に得た情報に関しては、それをオリジナルなソースとして利用して良いであろうが、間接的な情報である場合は、そのもとをたどることができるならばたどる方が良い。一般に新聞や週刊誌などのジャーナルは、速報性ということに

---

3) 学術雑誌も書誌学的にはこのカテゴリーに入るが、ここでは分けて考えることにする。
4) 朝日新聞の「聞蔵 II ビジュアル」、毎日新聞の「毎索」、読売新聞の「ヨミダス歴史館」など。
5) 日本経済新聞社「日本経済新聞」（電子版）（https://www.nikkei.com, 2019 年 7 月 24 日取得）．日本経済新聞社は、同社が刊行する新聞・雑誌の記事を、その他の企業情報、統計数値などのデータベースとともに統合した「日経テレコン」でも提供している。日本経済新聞社「日経テレコン」（http://telecom.nikkei.co.jp, 2019 年 7 月 24 日取得）．

は優れているが、内容の包括的・批判的検証ということでは学問的な研究には劣るからだ。

④学術雑誌

　これは一番なじみのないものかもしれない。しかし、これからアカデミックな論文やレポートを書こうとしている君たちには、できればぜひ利用してもらいたい種類の資料である。学術雑誌は、研究機関、大学、学会などが発行している。大学や研究機関が発行するものは「紀要」、学会が発行するものは「学会誌」などと呼ばれる。これらは、各専門分野の最新の論文を掲載している。

　学術雑誌は、図書館的には「雑誌」あるいは「定期刊行物」の類に入る。しかし、新聞や週刊誌などがある程度の速報性を求めているのに対して、学術雑誌の記事は、早さよりも正確で、包括的、かつ批判的検証が行われ、その学問分野の研究に貢献する内容であることが重視される。多くの学術雑誌には、「査読」という専門家による審査制度があり、その制度が掲載される論文の一定の質を保証している。アカデミックな世界の論文の共通のルール、独自性、論理性、実証性、有効性をもつということの、手本となるものを、ここで見つけることができるだろう。

　学術雑誌にも、やはり紙媒体と電子媒体がある。紙媒体のものは、一般に図書館では単行本とは別の場所に集められ、分野別や誌名順に並べられて配架されている。

　電子媒体で発行される学術雑誌は、さまざまな形で公表されている。発行機関が自らのホームページで閲覧可能にしているものもあれば、大学・研究所などが、機関リポジトリと呼ばれる文書蓄積システムを構築して公開している場合もある[6]。

　紙媒体、電子媒体に関わらず、学術雑誌の記事の検索には、CiNii Articles や NDL 雑誌記事索引 といった専門のデータベースを使うことになる。これについては、「4. 資料検索の方法」で詳述する（59 ～ 71

---

6) 国内の機関リポジトリの一覧は、国立情報学研究所の以下のサイトにある。国立情報学研究所，2019，「機関リポジトリ一覧」，学術機関リポジトリ構築連携支援事業ホームページ（http://www.nii.ac.jp/irp/list, 2020 年 1 月 8 日取得）.

頁）。

⑤諸機関や個人の公表資料、およびいわゆる「ネット上の情報」

　いわゆる商業的な出版がなされているわけではないが、政府機関、地方公共団体、法人、企業などが、公表しているさまざまな資料が、研究に有益な情報を提供することも多い。公刊された出版物でなければ、これらの資料は通常図書館には所蔵されておらず、その機関から取り寄せたり、そこに出向いて閲覧させてもらうことになる。

　これらの諸機関は、非常に多くの場合、自らのホームページでさまざまな資料・情報を公表している。国会がその議事録をつぶさに公表したり、各省庁が審議会の記録を公表したり、会社が決算書や事業計画を公表したり、地方公共団体が防災や都市計画資料を公表したり、災害が起きたときの被害予想を公表したりと、少し前であれば、その場所に赴き、苦労して交渉しなければ手に入らなかった資料が、インターネットを通じて簡単に手に入るようになった。

　国や地方自治体、その他諸機関が行う統計調査なども、その生のデータがインターネットから簡単に手に入れられることが多くなった[7]。

　個人のホームページは、怪しげな情報を公表するものから、非常に整理され調査されたものまでさまざまである。現在存命中の芸術家が自身のホームページで自身の活動や作品を紹介している場合、これは紛れもなく「一次資料」としての価値をもつものである。一方、典拠も示さず、どこかの情報を不正確にコピーしたり、根拠のない批判や中傷を行うネット情報は、あまりにも多い。

　インターネットで情報を得る際には、それを公表している機関や個人の信頼性、オリジナルな情報を提供しているか、典拠が明確かを総合的に考慮して、その情報価値を個別に判断していかなければならない。

　インターネット上の情報の最大の問題は、その管理者がどのようにでも変更したり、削除したりすることができるという点である。すなわち、

7）政府の統計調査結果は「e-stat」というサイトで統合し公表されている。独立行政法人統計センター，「e-stat —— 政府統計の総合窓口」（http://www.e-stat.go.jp, 2019 年 7 月 23 日取得）.

インターネット上の情報は、再検証の保証がない。書籍や雑誌であれば、一回世に出されれば、執筆者はそれを抹消したり、書き直したりすることはできない。

　また、信頼がおけると考えられる機関でも、古い情報をホームページから削除したり、不都合が出てきた情報を更新記録なしに書き換えることはよくある。そうした資料を論文で引用したり、参照すると、後に誰かがそれが正しいかどうか検証することは、不可能になる。

　インターネットからの情報を論文で使う場合は、①そのページのデータを、アドレス、アクセス日とともに自身で保存しておくこと、②引用・参照の際には、それらのデータとともに正確に参照注で記すということが重要である。インターネット情報を引用する際の注の書式は、巻末の「附録　書式の手引き」を参照されたい。

3. ウィキペディアについて

　何かを調べようとする時に、とりあえず「ググる」（検索エンジンGoogle で検索する）というのは、スマホを手にした現代人のごく一般的行動となった。ググるとたいてい、フリー百科事典ウィキペディア[8] の項目が検索結果最上位にあがる。

　ウィキペディアはとても便利であり、一般の百科事典でも項目を立てていないさまざまな事項が項目として上がっている。ウィキペディアは、ある事項に関し知見をもっていると自分で思ったら、誰でも書き込み、編集することができる事典である。いわゆるネチズン（インターネットを利用する人々）が知恵を出し合い、これまでのどの事典にも負けない

---

8)「フリー百科事典　ウィキペディア日本語版」(https://ja.wikipedia.org, 2019 年 7 月 23 日取得).

巨大な事典を築き上げた。その意義は大きい。知識が多様化・複雑化している現代においては、いわゆるオープン・リソース型の情報蓄積が、一定の意味をもっていることは間違いない。

しかし、大学教師からウィキペディアを使ってはならない、と教わった人も多いと思う。なぜだろうか。それは、ウィキペディアには、いくつかの重大な問題があるからである。最大の問題は、情報の匿名性である。つまり、どのような知見をもった誰が、どのような立場で情報を提供しているか、ということがまったくわからないからである。誰でも投稿や更新が可能ということは逆に言えば、その分野に精通し知識と知見をもった人が書いた情報であるということが保証されていない、ということでもある。

ウィキペディアのもうひとつの問題は、誰もが書き換えできるので、テキストが常に更新されることである。アカデミックな文章では、ある時点で確定したテキストを批判的に考察し、論述を進めていく。そしてそのテキストは、検証可能なものでなければならない。しかし、そのテキストが常に変わるのでは、論述自体が成り立たない。したがって、**ウィキペディアの文章は引用したり、参照文献として使用するのに適していない**。一般原則としては、論文はそれが扱う問題について記したすべての文献を参照し、参考文献表に挙げなければならない。しかし、ウィキペディアでは、オリジナルな研究情報を載せないことが原則となっており、そういう意味でも、特殊なケースを除けば、ウィキペディアをレポートの参考文献に挙げる必要はないし、ウィキペディア情報を論拠としたレポートは、評価が下がる可能性もある。

ウィキペディアの書き込みには、誤字・脱字に始まり、あまりに初歩的な事実誤認が、含まれていることが非常に多い。また、明らかに何らかの歪んだ意図をもった人物が、情報操作のために書き換えたり、客観的な検証ができていない内容を書き込んだりしている例も、枚挙にいとまがない。

● ウィキペディアの使い方

ウィキペディアでは、中立性、検証可能性、出典明記、信頼性、正確さなどについてのガイドラインが定められており、その方針に従った良い項目は多数存在する。ただ問題は、初学者は不正確で稚拙な項目と優れた項目を区別できないことである。良い項目と悪い項目の区別ができるようになるまでは、監修された辞書、事典類の使用を強く勧める。

しかし、ある分野に関して、一定の知識が身についてきたら、ウィキペディアの利用が非常に有効なこともある。ウィキペディアの項目は、専門家の目からみても、たしかに年々改善されてきているように思う。それは、善意あるコミュニティ参加者たちが、悪意ある書き込み、無知な書き込みと日々戦ってきたことの証しでもある。そして、多くの人が参加し、出典を書き加えていった情報は、研究者にとっても、おおいに役に立つことはある。自分が見落としていた文献、あるいは最新文献を、ウィキペディアで発見することもしばしばあるからである。とりわけ、英語版のウィキペディアはコミュニティ参加者も多く、新しい文献が出たら、その内容を競って書き込む傾向にあるので、ありがたい。むしろ、研究を進めるうえでウィキペディアを無視することはできなくなってきた。

ウィキペディアの使い方をまとめれば次の通りである。

1) ウィキペディアは、参考文献、引用文献として使わない[9]。
2) ウィキペディアは、監修された事典項目を参照したあとに、参照することが望ましい。
3) ウィキペディアにおける出典情報の記載は、大いに参考になる。ウィキペディアの情報自体を利用するのではなく、出典に挙げられた文献を入手してそれを直接参照する。

---

9) ただし、ウィキペディアそのものを研究するような特別なケースを除く。

4.

資料検索の方法──データベース活用法

◉はじめに

　前節では文書資料の種類を解説し、その性質やどのように保存されているかについて述べた。どのような研究テーマを扱うにしても、まずはそのテーマについて先人がどう論じてきたかを把握する必要がある。大学での研究は、それを批判的に検証したうえで、それらの上に積み上げられるものである。したがって、そのテーマについての書物を、なるべく漏らさず、網羅的に調べる必要がある。ほとんどの出版物の著者名、タイトル、出版年、所蔵図書館等の書誌情報は、パソコンやスマホを使いオンライン上で調べることができる。そのうち一部の出版物は、その中身（すなわちコンテンツ）まで電子化され、内容をオンライン上で見ることができる。

　しかし、現在のところ、あらゆる書誌情報、文書情報、コンテンツを一発で検索できる方法はない。

　だから、われわれは、何を探すかによってそれぞれ適切なデータベースを知り、そこから検索する必要がある。それも、たいていはひとつのデータベース、ひとつの探し方では十分ではない。複数のデータベースから、いろいろな検索を繰り返すことによって、より完成度の高い文献一覧をつくることができるのである。データベース検索のスキルは、君たちが身につけなければならない重要なスキルのひとつである。

　文献を調べると言うと、Google などの検索サイトをまず思い浮かべるかもしれない。しかし、それでは網羅的に情報を得ることができない。Google などは、図書館のオンライン蔵書カタログや文献データベースのなかに入って情報を検索してはくれないからである。また、インターネットの検索サイトが、電子版新聞記事や、電子書籍や電子ジャーナル

の中身を検索することも、基本的にはない。もっとも、ここに「基本的には」と書いたのは、例外があるからだ。近年 Google は、Google ブックスというサイト[10] で電子化された書籍の蓄積を行っている。Google は、国立情報学研究所やさまざまな図書館、出版社等と連携し、検索した際に、各種データベースのなかの文書資料や書誌情報のデータを拾ってくるような仕組みを次第に構築しつつある（Google Scholar[11]）。しかし、それはまだ開発途上であり、著作権の壁もあり、そこに現れる文献はまだごく一部である。だから、検索サイトで終わらないで、さまざまなデータベースを活用できるスキルを身につけよう。

● データベースとの付き合い方

　具体的な、図書館の蔵書カタログや、雑誌記事カタログの説明に入る前に、まずはデータベースとは何かについて、少し勉強しておこう。

　データベースは、「目録」「カタログ」「索引」などと呼ばれている。データベースは情報をコンピュータに集積したものである。世界中の無数のコンピュータがネットワークでつながったインターネットも、検索サイトの存在によっていわば一種の巨大なデータベースとして活用できる。

①すべてのデータベースには死角がある

　データベースにはそれぞれ目的と守備範囲というものがあり、すべての情報を網羅したデータベースというものは存在しない。すべてのデータベースには、見通しの効かない死角がある。その死角は、データベースの性質によるものであったり、単純なミスや何らかの要因での記載漏れであったりする。データベースの性質をよく知り、さまざまな可能性を考慮して多角的にアンテナを張っておこう。

②すべてのデータベースには特徴がある

　多くのデータベースは、情報を縦軸と横軸の一覧表に書き表すのと同

10）「Google ブックス」（https://books.google.co.jp, 2019 年 7 月 23 日取得）.
11）「Google Scholar」（https://scholar.google.co.jp, 2019 年 7 月 23 日取得）.

じ原理で情報を整理している。しかし、さまざまな情報は複雑に関係し合っているので、どのデータ内容をどの項目に収めるかに関しては、さまざまな検討がなされたうえで、もっとも適切であると考えられる方法が選択されている。そこに収められるデータ内容の性質に応じて、データベースにはそれぞれ特徴があるということを覚えておこう。

データベースを検索するにあたって、最低限絶対に知っておく必要があるのは次の事項である。

・人名の表記法や姓と名の切り方（とくにカナ表記の方法）
・AND/OR/NOT 検索、部分一致・完全一致検索のルール

例えば、多くのデータベースでは、スティーブ・ジョブズの著作を知りたい場合、「スティーブ・ジョブズ」と入れても必ずしもすべての著作が検索されない。外国人名は原語で、姓、名の順番で、それぞれをコンマと半角スペースで区切って「Jobs, Steve」あるいは「Jobs, Steven Paul」と名前をフル表記しなければならない。

AND/OR/NOT の構文というのは、データベース検索では基本の概念である。聞き慣れないかもしれないが、実際に多くの人は知らず知らずのうちにこの構文を使っている。例えば、Google や Yahoo! 検索では、A と B という2つの検索語（キーワード）の間にスペースを入れると、その検索語が両方含まれるサイトが上位に現れる。これは、A を含み「かつ」（= AND）B を含むページを探せと言う命令の結果を反映している。検索結果の下位には、どちらか一方の語が含まれるサイトが現れるよう設計されている。それは OR 検索の結果である。結果を絞り込むには、NOT 検索を使う。上記の検索サイトは、−（マイナス）記号が NOT の命令である。「A −B」と入れると、A を含むが、B は含まない（= NOT）という意味になる。検索語が部分的に一致するサイトを見つけたいときには「部分一致検索」、検索語が完全に一致するもののみ絞り込んで検索したい場合には「完全一致検索」を行う。**図書館のデータベースなどは、各種検索エンジンと同じ反応をするわけではない。**このことは、よく覚

えておいてほしい。検索のルールは、データベースの「ヘルプ」などの
画面に現れるはずであるから、参照しよう。

③データベースは融通が利かない

　人間の脳は、さまざまな情報をいろいろと融通を利かせて評価・判断
する。しかし、コンピュータはほんの少し違っているだけでも、まった
く違う情報だと見なす。例えば、「慶應大学」と「慶応大学」と「慶應
義塾大学」というのは、コンピュータにとってはまったく違う言葉であ
る。綴りがどこかひとつ違っても、またハイフンでの区切り方、全角文
字と半角文字など、人間にとってはほとんどどうでも良い違いが、コン
ピュータにとっては、大違いなのである。

　また、キーワードの入れ方は、同じ概念が別の言葉や表記で表現され
る可能性なども考えながら、上位概念、下位概念などあらゆる方法で試
してみるべきである。例えば、「鳥インフルエンザ」を調べたいと思って
も、「H5亜型インフルエンザ」「家禽感染症」「家禽疾病」「Ｈ５Ｎ１
ウィルス」（全角文字）「H5N1ウィルス」（半角文字）などなどいろい
ろな検索語で情報が出てくる可能性がある。

④近年のデータベースの特徴

　しかし近年、検索システムに知的判断をするプログラムを組み込み、
人間の入力ミスを回避したり、連想機能によって検索語のヴァリエー
ションを拡げて検索してくれるようなシステムの開発が進んできている。
Googleで検索すると、ちょっとした人間のミスを修正して提案したり、
違う表記や言い方がある場合はそれを含めて示してくれたり、ときには
変換ミスまで修正して検索してくれる、ということに気づいている人も
多いだろう。そうした機能が近年、図書や文献のデータベースに組み込
まれるようになってきた。これ自体は、初心者にとってはとても便利で
あるが、いくつかの弊害もある。そうした連想のために、本来関係のな
い文献が多量に引っ掛かってきたり、それに頼りすぎてやはり重要な文
献を見落としたりしてしまう危険もある。コンピュータを人間の脳に近

づける技術が、近年飛躍的に進歩しているのは事実である。しかしコンピュータは、開発者があらかじめ想定し、コンピュータに教えた範囲での動きをするだけなので、それがユーザが本当に求めているものとは限らない。したがって、その検索プログラムがどのような動きをするのかを見極めるためにも、あらゆる検索キーワードを考え、詳細検索などのページも駆使しながら、考えられるすべての方法で多角的に文献検索を進めていこう。

　用語や漢字の書き方にいくつかの方法があると思われる場合には、そのすべてを入れてみたり、AND/OR/NOT 検索、部分一致検索などの手法など、あらゆる手をつくしてみる必要があるということは、最新式のデータベース検索システムでもあまり変わらない。

● 資料探しの実際 [12)]

　どのようなテーマを選ぶにしても、文献検索は一般的に次のようなステップで進む。

ステップ1：レファレンス資料（事典など）を参照する
ステップ2：単行本を探す
ステップ3：学術論文を探す
　　　　　　時事的問題・社会的問題を扱う場合は、新聞、報道雑誌記事を探す
ステップ4：インターネットの検索エンジンにキーワードを入れ、関連サイト、文献情報を補完する情報がないかチェックする

これらのステップは、68〜69頁にチャートにして示したので、参照しながら読んで欲しい。

12）なお、以下にあげるインターネット上のアドレスは、2020年1月現在のものである。インターネット上のデータベースは、システム更新等の理由で、アドレスが変更になる場合がある。最新の情報は、その提供機関名や、データベース名を検索エンジンで検索すると良いだろう。

①レファレンス資料を参照する

　これについては、文献の種類のところで詳しく解説したので、参照していただきたい。図書館で購入している電子事典などを参照する場合には、図書館のメインサイトから事典のデータベースに入れるようになっているはずである。専門の事典の存在や、所蔵を調べる場合は、ステップ２の単行本と同じ方法で探す。

②単行本を探す

　使用するデータベース：

　　・大学図書館の蔵書目録（OPAC［Online Public Access Catalog］）
　　・書店や古書店のデータベース

　図書館の蔵書目録には、それぞれの図書館のホームページからアクセスする。
　いくつもの図書館のカタログを統合したものもある。これには、地域の図書館が連合したものや複数大学が連合したものがある。
　もっとも包括的で有益なデータベースを４つあげておく。

◆カーリル　http://calil.jp/
　全国の公共図書館・地域図書館の蔵書目録の横断検索ができる。自分の地域を登録しておけば、その地域の図書館の所蔵の有無、貸出中かどうかということまで調べられる。レポートを書こうと思って大学図書館で探したら、既に貸出中だったというような場合に、近所の図書館にないかどうか調べるときに、役に立つ。

◆国立情報学研究所　CiNii Books（http://ci.nii.ac.jp/books/）
　CiNii は「サイニィ」と読む。ここには日本全国の大学（主に国立大学）の蔵書カタログが統合されおり、そこから書誌情報や所蔵館を知ることができる。

◆国立情報学研究所　Webcat plus（http://webcatplus.nii.ac.jp/）
　探す文献のキーワードから概念を拡げて連想検索をしてくれる機能をもつ

データベース。より包括的に文献情報を知りたいときにはこちら、探す本がある程度特定されているときは CiNii Books というように、使い分けると良い。

◆国立国会図書館　蔵書目録

　国立国会図書館法という法律によって、国内の出版物のすべては、国立国会図書館に納めなければならないと定められている。これは納本制度と呼ばれている。この制度によって、国立国会図書館は日本最大の図書館となっている。ただし、この制度ができる以前の書物、納本に漏れた書物、海外書籍、新しい書籍はここに入っていないので、他のデータベースも併せて活用するべきである。

　国立国会図書館の蔵書は、「国立国会図書館サーチ」http://iss.ndl.go.jp/ というウェブページから検索できる。図書を探す場合は「本」のボタンを押してから検索を始める（詳細検索を行う場合は、「国立国会図書館蔵書」にチェックを入れてから検索する）。

③書店や古書店のデータベース

　本を購入したい場合、最新の図書情報を知りたい場合には、それぞれの書店が提供しているデータベースを使うと良い。出版元で品切になったものに関しては古書店のデータベースで見つかることも多い。大規模なデータベースとしては以下のものがある。

◆ Amazon.co.jp（http://www.amazon.co.jp）

　世界最大のインターネット書店の日本法人。新しく出版された本が発売とほぼ同時に登録されるのが特徴。内容注記や目次、著者の経歴などを知ることができる。中古本の提供もある。

◆日本の古本屋（http://www.kosho.or.jp）

　全国の古書店の提供する書物を検索することが可能。絶版になったものなどを、手に入れたい場合にとても有益。古雑誌のバックナンバーなども多く登録されている。

④雑誌記事索引

　図書のデータベースを引いただけでは、最新の情報を得ることはできない。学術関連にしても、他の事項に関してもより新しい情報は、雑誌にまず載せられるのが常だからである。そして、**雑誌の記事は、図書館のカタログや出版カタログでは検索できない**。これには特殊なデータベースを使う。

　図書館用語でいう雑誌とは、あらゆる種類の逐次刊行物（定期刊行物）、週刊誌、月刊誌、専門誌、業界誌、学術誌などを含み、一般的に「雑誌」と呼んでいるものよりもはるかに概念は広い。逐次刊行物という意味では、日刊紙（新聞）もこのカテゴリーに含まれるが、日刊紙は情報量がかなり多いので、雑誌記事索引には含まれない。日刊紙の記事は、それぞれの新聞社が提供するデータベースで検索する必要がある。

　雑誌の記事を探す場合は、以下のデータベースが有効である。

◆国立国会図書館　雑誌記事索引

　国立国会図書館は、雑誌記事（学術雑誌、一般雑誌）の記事索引も作成している。このデータベースは、「国立国会図書館サーチ」http://iss.ndl.go.jp/ というウェブページから検索できる。雑誌記事を探す場合は「記事・論文」のボタンを押してから検索を始める。（詳細検索を行う場合は、「NDL 雑誌記事索引」にチェックを入れてから検索する。）

◆国立情報学研究所 CiNii Articles ―日本の論文をさがす(http://ci.nii.ac.jp/)

　日本の学会や研究組織の研究雑誌や、大学紀要（大学の教員の研究論文集）などに掲載された学術論文を探すときに、まずあたってみる必要のあるデータベース。参考文献や、参照注、引用注などが整備された学術論文を、なるべく多く読むことは、今後の大学での研究に役に立つ。ここで見つかる論文は今後のレポートや論文の作成の手本となるはずである。

　雑誌で見たい記事が見つかったら、図書館の蔵書カタログで、『雑誌名』、号次、年次などのデータから配架場所を調べ、図書を手に入れる。

ほとんどの雑誌は、ウェブサイトをもっており、多くの場合そこにバックナンバーの索引を掲載している。**調査分野の論文が、データベース検索で見つかったら、その雑誌のウェブサイトを見ると、検索では引っ掛からなかった論文や記事や、最新の有益な情報を得られることも多い。**

⑤資料そのもののデータベース

レファレンス情報、新聞、学術雑誌を中心に、項目や記事がデータベース化され、そこから資料の中味そのものが見られるデータベースも今日加速度的に発展している。それは、一度紙媒体で出版されたものがデータ化されているものもあれば、情報が最初から電子媒体で出版されているものもある。紙媒体と電子媒体の内容がまったく同一のものもあれば、そうでないものもある。

例えば、一般に新聞の紙面でもっとも大きなスペースを占める広告は、電子版には掲載されない。また、外部の寄稿記事など著作権の理由で掲載できない記事もある。これらは縮刷版などを閲覧するしかない。

この種の資料データベースは、有料のものが多い。大学図書館などでライセンス契約をして利用者に提供していることも多いので、有効に活用すると良い。

⑥他の図書館を利用する

どんなテーマでも、それについて何かを論述しようと思ったら、その事項に関する情報を包括的に収集しなければならない。したがって、自分の所属する大学の図書館で探している書物が見つからなかったからといって、そこで調査を止めてしまってはならない。

全国の図書館や世界の図書館は、さまざまな連合をつくって協力体制をつくっている。出版量・情報量は加速度的に増えており、ひとつの図書館はおろかひとつの国ですべての資料をカバーすることはできなくなってきているからである。その意味で以下に述べる ILL と相互利用サービスは、研究を力強く支えてくれるはずである。

ほとんどの大学図書館は、利用者のためにこのようなサービスを提供しているので、図書館の利用手引きを参照すると良い。

●資料の探し方チャート●

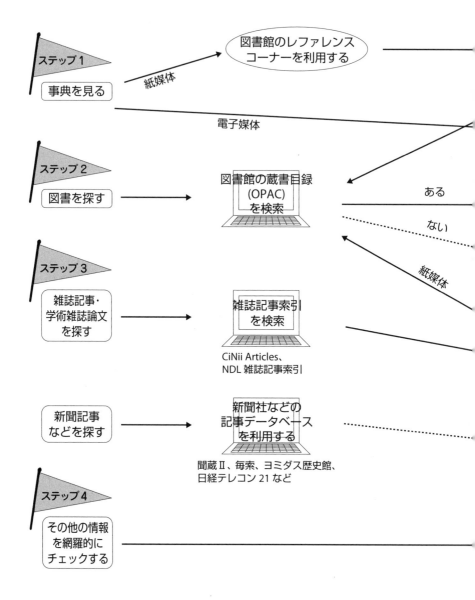

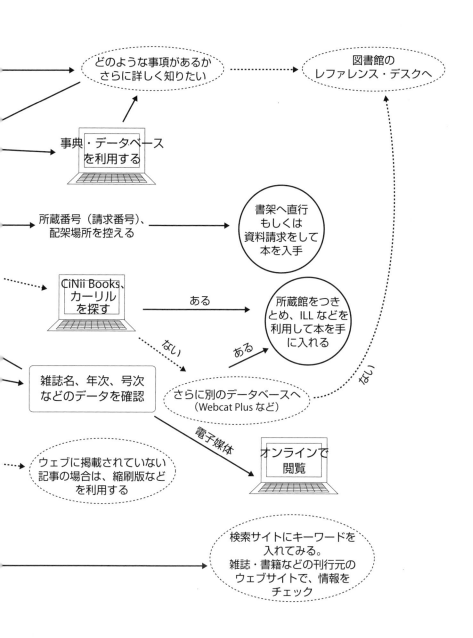

どのような事項があるか
さらに詳しく知りたい

図書館の
レファレンス・デスクへ

事典・データベース
を利用する

所蔵番号（請求番号）、
配架場所を控える

書架へ直行
もしくは
資料請求をして
本を入手

CiNii Books、
カーリル
を探す

ある

所蔵館をつき
とめ、ILL などを
利用して本を手
に入れる

なし

ある

雑誌名、年次、号次
などのデータを確認

さらに別のデータベースへ
（Webcat Plus など）

なし

電子媒体

オンラインで
閲覧

ウェブに掲載されていない
記事の場合は、縮刷版など
を利用する

検索サイトにキーワードを
入れてみる。
雑誌・書籍などの刊行元の
ウェブサイトで、情報を
チェック

ILL（取り寄せサービス）について

　所属する大学の図書館に図書がないとき、他の図書館から資料そのものや、その複写を取り寄せることができる。これをILL（Interlibrary Loan）と呼ぶ。この制度によって、書物や資料を効率的に収集することができる。

　なお、ILLを利用するためには、著者名、論文タイトル、書名（または雑誌名）、出版年（雑誌の場合は号次）、出版地、出版社、さらにはどの資料で当該の書物を見つけたかといった詳細な情報が必要になる。

他の図書館を訪ねる

　もうひとつは、資料をもっている図書館に直接行ってみるという方法である。これには、図書館によってさまざまなルールがあるので、まずは、それらのルールをよく調べる必要がある。一般には紹介状などを必要とする場合が多い。まずは、当該図書館のホームページなどを調べたうえで、所属大学の図書館のレファレンス・カウンターに尋ねてみると良い。

　以上を68〜69頁のチャートにまとめたのでこれを参考にしながら作業をしてみよう。

◉さらにその先

　情報検索・資料検索の道は険しく、非常に奥が深い。ここで述べたのは、情報検索法の基礎の基礎、「イロハのイ」にすぎない。どのような分野においても、最新かつオリジナルの情報を得ようと思ったら、日本語の資料だけでは決して十分ではない。また、各学問分野にはそれぞれ専門のデータベースがある。

　専門のデータベースの使い方に関しては、各専門の教員や図書館の司書に尋ねると、良いアドヴァイスをもらえるだろう。大学図書館のホームページには、たいてい提供するデータベースのリンク集がつくられている。それらをなるべく早い時期から利用してみよう。

　もうひとつ、世の中のすべての文献情報がデータベース化されていると考えるのは大間違いである。図書館の所蔵データは、かつては紙の

カードで管理されていた。1980 年代から急速にコンピュータ化が進み、各国とも国家規模でのプロジェクトを打ち立てて図書データの電子化を進めていった。新しいデータを初めからコンピュータに打ち込んでいったが、紙カード上の古いデータをさかのぼって入力する（これを遡及入力という）作業は非常に大変な作業であった。多くの図書館でこの作業はほぼ収束しているが、まだ完全に終了しているわけではない。場合によっては、紙カード、マイクロフィルム、マイクロフィッシュで調べなければならない資料がまだまだあるということは、覚えておこう。

　しかし、千里の道も一歩から。まずは、基本をしっかりと頭に入れてから地道に進もう。

5.

文献一覧をつくる

　以上の文献検索は、決して一直線に進むものではない。研究のプロセスは、調べて、読んで、考えて、書くというふうに進んでいくが、調べるうちに、あるいは読むうちに、あるいは考えるうちに、あるいは書くうちに、何度も何度も前のステップに戻るものである。それは、表面的にはいったん後退しているように見えるかもしれないが、決してそうではない。「知」は必ず螺旋的に発達していくので、すべての作業は決して無駄ではない。

　戻る過程では何度も何度も、新たに文献検索を行う必要があるだろう。また、ある文献を読み進めてみると、自分が検索しきれなかった文献が芋づる式に出てくるだろう。その際もう一度、図書館（のデータベース）に戻って検索し直し、必要に応じて書物を手に入れる。ここでもう一度思い出しておこう。アカデミック・スキルズの基本は、つねにできる限り情報の根源をたどっていくということである。

　レポートや論文に添付する文献表は、文献検索作業の過程で書きため

ていった文献一覧のなかから、実際に使った文献だけを選択して添付すれば良い。

　文献一覧には決まった書式がある。アカデミックな作業を行う者は、必ずこの書式を身につけなければならない。書式というのは、句点（。）や読点（、）の打ち方に始まり、大文字・小文字、全角・半角、カギ（「　」）やカッコ、スペースの使い方など、細部の決まり事である。これがきちんとできているということは、アカデミックな訓練を受けているという証しでもあるので、しっかり身につけよう。文献一覧については、「附録　書式の手引き　5.文献表記の方法」（177〜185頁）で詳しく説明するので、そこを参照していただきたい。

　文献一覧は、はじめから文書作成ソフトでつくっていく方が良い。後でどのようにでも加工ができるし、書式の間違いを訂正するのも簡単である。その際、検索作業や、入手作業、コピーなどがどこまで終わったのか書き留めておくと良い。また、本の内容についても簡単なコメントをつけておくと後で役立つことになる。

　こうした作業を効率化するために、特別なコンピュータ・ソフト等もあるが、大学1〜2年生の段階ではまだ不要だろう。まずは自分の頭と手を使おう。

6.

文書以外の情報収集——実地調査、データ収集

　世の中には、図書資料やインターネットで集められない情報が、たくさんある。例えば、訪日外国人の浅草での消費行動について調べたい、とか、地域の商店街が災害に備えてどのような取り組みをしているか、など、現地に赴いて調べなければ分からないことも多い。また、無形の文化財や自然を対象にした学問分野には、フィールド調査、あるいはフィールド・ワークと呼ばれる確立されたそれなりの方法論がある。こ

れらは、専門家の指導を受けながら身につけていくものである。

　インタビューや、ヒアリング調査（当事者から直接話を聞く調査）は、文書では簡単に得られない情報を得るにはとても有効な方法である。また、質問票を渡して書いてもらったり、インターネット上で答えてもらうなどの手法によるアンケート調査も、広く用いられる。

　これらの手法による調査についての詳しい解説は、それを専門とした書籍に譲ることにする。詳しくは章末75～76頁を参照されたい。ここでは、ごく一般的な注意事項を記しておく。

● 実地調査にあたってはよく下調べをすること

　実地調査やアンケート調査を行う前には、最低限必要な予備知識をきちんと身につけておく必要がある。

　文書で調べられないことを調べるのが実地調査なのだから、自分が調べようとしている問題についてすでに公表されている図書や文書には、あらかじめ目を通しておかなければいけない。

　アンケート調査を行う際には、質問項目の検討にあたって、まず少数の対象者にヒアリングを行うことがよくある。的外れな質問や、思い込みによる誘導的質問を避けるためである。もちろん、同様の調査をすでに行った文書があれば、それも読んでおく。集まったデータをどう扱うのか、データ分析の手法についても専門の本を読んだり、専門家に指導を受けて学んでおく。

● 実地調査では了解を得てから訪問する

　実地調査を行う際には、訪問先への礼儀をわきまえる。必ず事前に、手紙やメールで、先方の了解を取らなければいけない。内容は、自己紹介、何の授業における調査なのか、研究テーマは何で、どのような研究を行っているのか、なぜ調査を行うのか、質問・調査内容は何か、調査を希望する日時・場所、などである。基本的には手紙で送ることが一般的だが、メールで送る場合でも、決してSNSで友人や家族とやりとりするような口調や書き方で書いてはいけない。

その際、担当教員に頼んで、教員からも依頼の手紙を同時あるいは、別途書いてもらって送ると良い。

● プライバシーの保護や研究倫理のこと

自分が純粋に研究的興味をもって調べていることであっても、それがデータ化され可視化されることによって、その結果には社会的責任が生じる。人々のプライバシーに関わる調査や、障害者やLGBTなどの社会的マイノリティに対する調査では、とくに注意と配慮が必要である。

また、調査者が、現地に調査に入ること自体が、その調査対象物の価値を損なったり、場の雰囲気を壊してしまうこともある。例えば、地域の祭りの様子を調査しようと思って現地に入り、厳粛な宗教行事の途中にバチバチと写真を撮ったりする行動がそれにあたる。それは、希少な植物を標本のために採取してしまい、結果その植物を絶滅させてしまう行為とほぼ同じである。

実地調査や、アンケート調査は、いわば人間を対象とした調査である。すべての大学や研究機関は、倫理委員会を設けており、研究対象が現在生きている人である場合、倫理委員会に届け、審査を依頼しなければならないと定めている。学部生の卒業研究や、セミナー論文の調査がその対象となるかどうかは、指導の教員とともによく確認してほしい。

審査対象でないとなった場合であっても、調査の協力者とは密に連絡を取り合い、事前の打ち合わせをしっかり行う。必要な場合には、同意書を取り交わしておくことが勧められる。同意書の例は、大学の倫理委員会が用意していたり、インターネットで公開している場合も多いので、それを参考にすると良い。

● 事後のケアとフィードバック

調査が終わったら、間を開けずにお礼状を書こう。そして、レポートや論文ができあがったら、調査に協力してくれた人に送ると良いだろう。その時点で、担当教員にもお礼状を書いてもらうと良い。

たとえ学部生が行ったものであっても、しっかりとした手法で行った

調査には、独自の価値がある。それを社会に還元することは、調査協力者への恩返しでもある。ホームページやSNSでの公表などを検討すると良いだろう。

☞ **テスト**

1. アカデミックな作業では、どのような情報をもっとも重視すべきですか。

2. ウィキペディアの問題と使い方を簡単に説明しなさい。

3. 以下の用語を簡単に説明しなさい。

- ・図書館用語での「雑誌」
- ・一次資料・二次資料
- ・レファレンス資料
- ・データベース
- ・連想機能
- ・OPAC
- ・ILL
- ・Webcat plus
- ・CiNii
- ・雑誌記事索引

📖 **アカスキ・シリーズでもっと学ぼう！**

本章で学んだ内容は、文書資料調査に関しては『**資料検索入門**』、実地調査に関しては『**実地調査入門**』、データ調査に関しては『**データ収集・分析入門**』が詳しい。初学者がとくに参考にすると良い箇所を挙げておく。

◆資料調査について

・資料検索の具体的例

第4章

本を読む

――クリティカル・リーディングの手法

本を読み始めるにあたって

「文献がぜんぜんない」。あるいは「こんなにたくさんどうしよう」。

あるテーマで書物を探してみると、まったく文献がないというケースと、ものすごくたくさん本が出てきて手に負えない、というケースがあるだろう。

まったく文献がない場合、その原因はふたつ考えられる。ひとつは本当にそのテーマで書かれた書物がないケース。もうひとつは、探し方が悪いケースである。探し方が悪い場合は、何が悪いか第3章で書かれたことをもう一度読み直してみると良い。たいていは、キーワードを換えることによって関連したものが出てくることが多い。ただ、それについては、ある程度情報検索に詳しい図書館司書や教師に助けてもらうと良い。

逆に、あまりにもたくさんの本があって手に負えないという場合は、明らかに問題が大きすぎるのだから、その問題のなかからとくに、自分が何に興味があるのか考え、テーマを絞っていこう。

文献がありすぎる場合も、文献がなさすぎる場合も、そのテーマをそのまま研究課題とするのは難しいということを覚えておこう。

◉ どの本から読み始めるか

自分があらかじめ定めたテーマに関して、ある程度の数の文献が集まったら、次にいったいどれから読んでいけば良いかということになる。

もしそのテーマに関して、基本的知識をあまりもっていない場合は、まずはいわゆる入門書や事典項目から読んでいくと良い。事典類や専門家が書いた入門書を読む場合は、原則として、**なるべく一番新しいものを選んで読む**と良いだろう。しかし、必ずしも一番新しいものが一番良いものと限らない場合もある。入門書の選択に関しては、教師の指導に

従うのが良い。

　もっとも新しい入門書や事典項目を読んでノートも取り終わったとして、それより古いものはどうするか。これは、ケース・バイ・ケースだ。ここでは、必要に応じて読むということにしておこう。複数の事典項目や入門書の記述の範囲、記述の基本的な姿勢が異なる場合は、そこから興味深い学問的問いが浮かび上がってくることもあるだろう。

　事典や入門書で背景知識がだいたい把握できたら、自分が具体的にテーマにしようとする課題の関係書を読むことになる。それぞれ、目的やタイトルが微妙に違っていることだろう。そしてどれから読み始めるか迷ったら、やはりこれも新しい文献から順番に読んでいくと良い。なぜなら、新しい文献の著者は、基本的にそれ以前に出ていた文献を把握しているはずだからである。ここでも、それを読み終わったら古い文献は読まなくて良いというのではない。新しい文献と古い文献を読み比べて、何が違うのか、何が新しくなっているのか、そこにどのような考え方の変化があったのかということを、実際に両方を読み比べながら見ていくことも、自分自身の問いを立てるために役立つ。またこれはテーマの研究の動向を知るうえでも大切な作業だ。自分の研究の行く先も見えてくるだろう。

●本の性質を見極める

　世の中には膨大な量の本が出版されている。出版された本には、それなりに選別された価値ある情報が含まれていると考えて良い。しかし、本に書かれていることが、何でも正しいというわけではない。だから、本の内容を鵜呑みにはせず、よく考えながら読む力をつけなければならない。まずは、その本がどのような姿勢で書かれているかを見極める必要がある。

　とりわけ、一般の人々に関心の高い分野に関しては、わかりやすく簡単に書かれた本がたくさん出されている。また逆に、非常に読みにくそうな専門書もある。あるテーマについて何かを書こうと思ったら、**そのテーマについて書かれたなるべく多くの情報を把握する**というのが基本

である。一般向けの新書などは、高校生から大学1～2年くらいの知的レベルに合わせて書かれているから、とりあえず目を通すと良い。しかし、大学で勉強を進める過程では、さらに険しい山奥へ進んでいくことも必要だ。とにかく、調査や読書が、軽いタイプの新書や実用書、ビジネス書のようなものだけで終わらないようにしたい。

　もっとも、タイトルを見ても何のことだかよくわからない、あるいははじめの部分を読んでみても意味が不明という場合は、その人はその本を読むレベルに達していないということだから、がんばって読もうとしてもそこから得るものはあまりないだろう。そういう本は、いまはとりあえず置いておくことにしよう。その分野に継続的に取り組み、基礎知識を蓄えていけば、どんな難解な本でもいずれは読めるようになる。

　本を読む際には、本の著者がその分野の事柄に関して、きちんとした見識をもつ者かどうかを見極める必要がある。受け売り的なことを、根拠や情報の出所を検証可能なかたちで示さない本も、世の中にはたくさんある。こうした本には注意が必要だ。このことは前にも書いたが、ここでも強調しておきたい。**その本がオリジナルな内容を伝えるものか、これ以上さかのぼれないところまで情報源に迫り、その情報源をきちんと示しながら書いているかをよく見極めよう。**また、ある事項に関して対立した意見がある場合は、どちらの主張を取るにせよ、対立する意見の根拠をきちんと取り上げて検証する姿勢があるか、ということも良い本と悪い本を見分ける決め手になる。ある政治的主張を宣伝するために、自分の都合の悪い情報には一切触れず、情報をねじ曲げて伝えようとするような書物もあることを忘れてはならない。

　しかし、どのような本を読むにしても、**読み手自身が最終的にきちんとした価値判断を下す**のだという姿勢を保とう。学問的でない本は無視しろといっているわけではない。しかし、そうした本に振り回されないようにしたい。例えば『末期癌はきのこで治せ』のような、科学的な根拠の乏しいことを書き連ねた本であっても、なぜ人はそのようなことを信じるのか、という点を研究テーマにすれば、十分オリジナルな情報源として、研究の対象とすることも可能である。

2.

批判的・論理的思考

　高校までは、良い本は学校で推薦され、与えられたかもしれない。しかし大学では、良い本は自分で見つけ出さなければならない。そこで、磨いていかなければならないのが、批判的かつ論理的な思考である。

　大学で教師は、**自分の意見をきちんともつこと、独創性、オリジナリティがあること**を求める。これらは、批判的・論理的に思考することによって養われる。しばしば誤解があるのだが、自分の意見をもつというのは、好きとか嫌いとか主観的で勝手な感想を述べることではない。オリジナリティといっても、ただ人を驚かすような突飛な発想を求められているわけではない。すでによく知られた事実であっても自分自身の視点と方法で検証し直すことができれば、たとえ結論が既知の事実と同じであってもそれはオリジナリティのある研究と見なすことができる。

　自分の意見を述べる際には、**その意見が一定の論理的根拠をもって他の人にも正しいと受け入れられること**が求められている。オリジナリティとは、まだ誰も気がつかなかった隠された真実を、客観的に説得力をもって証明できるということである。

　批判的・論理的思考は、本を批判的に読むことによって訓練される。本を批判的に読むというのは、むやみにあら探しをすることではない。**そこで示される事実がきちんと検証できるのか、そこでの主張は論理的に正しいか**ということをじっくり考えながら読むことである。もととなっている資料を見ることができれば、自分の目で確かめて、同じテーマ、あるいは近いテーマで書かれた本と比較してみるのも、批判的読解の作業である。それらを行うことによって、もとのテキストの著者がどのような道をたどってその結論に至ったのかを追体験することができるし、そこから学ぶことも非常に多い。

またとりわけ数値データが出てきたときには、データが正しく使われているかどうかを検証する必要がある。統計資料というものはあることを証明するのに非常に有効な手段であるが、**統計はしばしばまったく逆の解釈がされることがあるし、データの使われ方によっては事実をねじ曲げることがある**ことも知っておきたい。

何がオリジナリティか、自分が論文やレポートを書いたときに結論とするべきことは何かということは、初めから見えているはずはないし、その必要はまったくない。批判的読解を行っているうちに、どこかで何かひらめくこと、気付くことがあることを信じて、とにかく前進しよう。

クリティカル・リーディング（批判的読解）とその練習

◉ クリティカル・リーディングとは

クリティカル・リーディング、あるいは批判的読解は、知的な作業の基本である。ここで述べるクリティカル・リーディングの技法は、まず与えられたテキスト（文章）を正確に読むことから出発する。その上で、自分なりの理解に移し替えて、それを他の人にわかるように表現し、そこから自分なりの問題提起から、否定、賛成、代案に至る道筋を論理的・実証的に示す。この過程全体がクリティカル・リーディングである。

テキストの意味は、**そのさまざまな周囲状況を知ること**によって初めて正しく解釈される。この周囲状況のことは「コンテキスト（あるいはコンテクスト）」（文脈）といわれる。具体的には、性格、背景、作者の経歴や他の業績、作者の立脚点など、テキストを成立させるに至ったあらゆる状況、さらにはテキストがどのようにして伝承されたかということである。また、テキストの作者が参照した資料の原典にさかのぼって可能な限り調査し（例えば引用箇所や作者が反論している論文など）、作

者が適切な情報把握に立脚して主張を行っているかどうかを検証することも、強く推奨される。またここでは、特殊な用語や重要な概念、現れる他の人物についての情報などについても把握し、必要に応じてこれらに直接触れるよう努めよう。ただし補助的な情報に時間を取られて、研究の本筋から脱線しないように気をつける。いずれにしても、**テキストの性格を見極め、それを的確に読み、解釈する**ということは、大学で行う作業に限らず、あらゆる知的な作業の「イロハのイ」である。

テキストの性質を明らかにし、さらにテキストとコンテキストの関係を把握しながら意味を解釈していく作業は、「テキスト批判」とも呼ばれる。テキスト批判の技法は、もともと文芸作品研究で広く行われていたが、現在では人文科学系、社会科学系のあらゆる分野でごく一般的に使われるようになっている。

本書で言うクリティカル・リーディング（批判的読解）とは、文芸研究のテキスト批判の手法をもとに、それをさらに発展させたものと考えることにしよう。すなわち、本の性格を知り、それを正確に読み取り、内容を把握し、その意味を解釈する、というのが、テキスト批判であり、その解釈から自分なりの論考を加えるのが「クリティカル・リーディング」である。

● クリティカル・リーディングの練習

本を読むときの態度としては、**精読**と**速読**がある。精読はノートを取りながらひとつひとつの文章、論理をじっくりと正確に読み取っていくことである。一方速読は、本または論文の全体をさっと読み通し、その後で著者の全体としての主張を把握し、本や論文の意義について評価をするという読み方である。

なお、読書ノートの取り方については「第5章　3.情報カードのつくり方の一例」（105〜107頁）で詳しく述べるので参考にしていただきたい。

これから取り組もうとするレポートのテーマに関する基本文献は、精読の方法でクリティカル・リーディングを行う。クリティカル・リーディングは次のように進めていく。

①テキストの全体像をつかむ

　テキストを読むときに、まずはじめに行うべきことは、そのテキストが全体として何を伝えようとしているかをつかむことである。

　本であっても、論文であっても、タイトルがある。タイトルはその書物の中味を示していて、それを見ればこの本は何について書かれているのかがわかる。ただしタイトルだけでは、その本が扱うテーマやごくおおざっぱな範囲がわかるだけで、それ以上のことはあまりわからない。

　そこで、目次を見てみる。文芸作品は目次を見てもほとんど何もわからないが、学問的な研究であれば、タイトルと目次を見るとその本のおおざっぱな全体像が浮かび上がってくる。専門用語ばかり出てくる場合はよくわからないこともあるかもしれないが、その場合は事典などで確かめてみると良いだろう。

　目次だけではまだわからないときは、本の最初のところにある「はじめに」や「序論」に相当する部分を読んでみると良い。そこには、その本が全体として目指す目的などが書いてある。つまり、この本が何のために書かれているかがわかるわけである。翻訳書の場合には「おわりに」や「訳者あとがき」という部分に、翻訳者が本の全体的な内容や意義について解説していることがあるので、参考にすると良いだろう。

　このことは、論文でも同じである。論文にはタイトルがあって、目次やアブストラクト（要旨）がついている（このアブストラクトは文献検索のときに、データベースで見ることができる場合もある）。文頭部分に「はじめに」など短い文が付いていて、そこにその論文のおおざっぱな内容（あるいは結論）が書いてある。そこを読んで全体像をつかむことが大切であり、これが出発点となる。

②正確に内容を読み取る──要約を書いてみる

　全体として、だいたいこんなことが書かれているな、ということがわかったら、次にできるだけ正確に読んでいかなければならない。自分で勝手に意味をつけたり、でたらめに解釈するのではいけない。正確に読むためには、まず要約をつくってみることである。自分がどれだけ正確

に読んでいるかということは、読んだ内容を要約すればわかる。要約をつくるのは実はそれほどやさしいことではない。

　新聞記事などの要約をするという練習は多くの学生諸君が、高校までに経験しているだろう。その練習がきちんとできていれば、本や論文の要約もそれほど難しくないだろう。ただ、一冊の本では、新聞記事の要約と同じ方法でやってみると、要約がかなり長くなってしまう。あまり長いものは要約とは言えない。要約というのは、その言葉が表すとおり、要点だけをきちんと押さえたもののはずだからである。

要約の単位——段落・節・章・全体

　要約の書き方をここで簡単に説明しよう。本は章に分かれているから、まず章ごとに要約をする。しかし、章を要約するにしても、その章が100ページもあるような本は、節に分かれているはずだから節ごとに要約する。その節は、段落に分かれている。したがって要約の最初の単位は段落ということになる。

　つまり、各章ごとに要約を書く。そのために各節を要約する。各節の要約をつくるために、各段落の要約をする、という手順である。各段落の要約のつくり方のコツは、**ひとつの段落にはひとつの意味あるいは大事な点がある**、ということを知っておくことである。もしひとつの段落にいくつも大事なことが書いてあったら、大事なことがきちんとつかめていないか、著者がそれを書いたときに段落の切り方を上手に行っていないかのどちらかだ。通常は、論理的に考えてまとめれば、ひとつの段落は、ひとつのまとまりになる。

　以上のことから、ひとつの段落をひとつの比較的短い文章でまとめることから始めよう。それを段落ごとにやっていき、そのまとめた文章を並べてみる。そうすると、どの段落で言っていることが中心的なのか、それを補足したり、説明したりしているのはどの段落かがわかってくる。場合によっては、ひとつ以上大事なことを言っていることもあるかもしれない。**段落を要約すれば、段落の役割がわかるはずであり、全体の構成もつかめてくる**というわけだ。

それぞれの段落の役割がわかれば、全部の段落を一文ずつまとめたものをただつないだだけでは、要約にならないということが理解できる。補足的なもの、説明的なもの、あるいは実例としてあげているものを必要最小限まで省いて、全体の流れが論理的になるように、各文をつないでいく。文章をつないでいくときは、**接続詞の選択**に気をつけよう。理由を表すのか（だから、それゆえ）、時間的経過を表すのか（そして、その後、やがて）、逆接を表すのか（しかし、けれども）、譲歩を表すのか（もっとも、それにもかかわらず）などを適切に使い分ける必要がある。

　このように、上手な要約ができるかどうか、すべての出発点は段落を一文で要約できるかにかかっている。

キーワードとキーセンテンス

　要約は、**キーワード**を見つけることに始まる。キーワードが見つかれば、**キーセンテンス**が見つかる。あるいは逆に、キーセンテンスに含まれている重要な語が、キーワードということもできる。

　キーワードやキーセンテンスを見つけるには、練習が必要である。ひとつの段落のなかで繰り返し出てくる語に印をつけることで見つかる場合もある。それと同時にその語を含んだ文で、これが大事だと思うものに下線を引いてみる。慣れないとどれもこれも大事に見えてきて、やたらとたくさん線を引きたくなるかもしれない。どれがキーワードかよくわからないうちはたくさんの語に印をつけてしまいがちである。しかし、それを繰り返しているうちにひとつを選べと言われると、ひとつのキーワード、ひとつのキーセンテンスを選べるようになる。

　以上述べたことをもう一度簡単にまとめておこう。段落ごとのキーワード、キーセンテンスを見つけ、段落の要約をつくり、それを積み重ねて節の、そして章の、最後に全体の要約へとまとめていく。その過程で補助的、補足的なことは取り除いて、中心の部分だけを論理的にまとめていく。要約は、自分で理解したものをその理解の論理にしたがって再構成する作業である。要約に論理がなく、とぎれとぎれになっていれば、それは全体の流れがきちんと押さえられていないということである。

要約に論理的なつながりがある、ということが非常に重要なポイントである。

③難しさの壁を乗り越える── 専門用語と基礎的な理論の理解

　大学では教科書以外にもさまざまな本を読むことになる。それらを読んで作業をするときに、いくつか難しい問題に出くわすことになる。キーワードを見つけようと思っても、本のなかで日常的には使われない言葉がたくさん出てくる可能性がある。そのために全体が何を言おうとしているのか、まったくわからないということもある。そうした語彙のうち、あるものは普通の辞書を引けばわかるかもしれない。

　しかし、問題なのはその本が取り扱っている学問分野固有のさまざまな語彙である。これを**専門用語**と呼ぶ。専門用語を知らないと書いてある内容が、どうしてもわからないということが起こる。専門用語は、もしかするとそれがもっとも大事なキーワードかもしれないし、あるいはそうでないかもしれない。いずれにしても専門用語がわからないと、キーワードの決め手すらつかめないことになる。

　専門用語の意味を知るためには、その学問分野を基礎から学んでいかなければならない。本の種類によっては、その本のなかに出てくる重要な専門用語についてきちんと説明してくれるものもある。例えば、『経済学入門』という本を読んでいて、「資本」という語が出てきたら、その本のどこかで「資本」という言葉の説明がきっと書いてあるだろう。経済学における「資本」のように、非常に基本的で重要な語に関しては入門書や概説書であれば、どこかで必ず説明されているだろう。しかし、それ以上のレベルの本になると、あまりにも当たり前のことはいちいち説明しないことが多い。重要な専門用語は、その分野を学ぶ過程で順次しっかり覚えていかなければならない。そのときには、各分野の**専門用語の事典**を利用しよう。図書館のレファレンス・コーナーで事典を引いたり、各図書館が開設するホームページのレファレンス資料データベースのオンライン電子事典を活用したりすると良いだろう。

　こうした問題は、専門用語だけではない。それぞれの学問分野に固有

の基礎的概念や理論が出てくると、それに慣れない人は戸惑いを感じる
だろう。専門用語の場合と同じように、事典である程度つかめるものも
あるが、それだけではどうにもならないこともあるだろう。そのような
ときには、いま読んでいる本より少しレベルを下げた、より基礎的なも
のに当たる必要も出てくるだろう。教科書的な入門書をさがして読んで
みることも必要になる。その際に、どの本を選ぶかは、やはり専門家で
ある教師の意見を聞くのがもっとも近道だ。

　もっと難しい問題は、私たちが日常的に使っている一般的な言葉が、
ある専門分野では、特定の狭い意味で使われている場合がしばしばある
ことだ。その分野でその言葉が専門用語として認識されていれば、これ
らの用語も事典を引くことによって理解することができる。問題は、あ
る専門分野では、とくに専門用語として認識されておらず、専門の事典
にも出てこないのに、その分野では習慣的にある言葉を特定の意味で使
うというような場合である。あるいは特定の個人が、その人独自の特別
な意味である言葉を使っている場合もある。そういう場合は、それを理
解するためにその人が書いた別の本を読むしかないこともあるだろう。そ
の解決には、やはり練習と経験を積んでいくしかない。

　いま述べたように、これから読む本には、さまざまなレベルの用語や
概念や理論などが出てくるが、それらを、完全にではないにしても、あ
る程度きちんとわかるようにしなければならない。

　「正確に本を読む」ことは、とても重要である。正確な理解をしないで、
いくら批判しても、それはただのとんちんかんということになってしまう。

④正確な読みから批判的な読みへ

　さて、本を正確に読むことができたら、次は批判的に読むというス
テップに進む。批判的というのは、**その本に書かれた内容の正しさにつ
いて自分で論理的に再検証し、場合によってはそれに対して説得力ある
異議を唱えること**である。例えば、論理的な整合性、統計データの使い
方、実験データの取り扱い、資料の読み方や解釈の仕方などについて再
検証し、著者と異なる結論が導き出されることになるのであれば、それ

を指摘することである。経験を積んだ専門の研究者が書いたものに対して、初心者が異議を唱えるなどということはそんなに簡単にできることではないが、練習しながら経験を積み上げていく必要がある。それは、自分自身の学問的問いを見つけていくためのステップでもある。

　では、批判的な読みはどのように進めていったら良いのだろうか。まず前の段階で抽出したキーセンテンスを並べていって、そこから、自分が非常に強く関心がもてることや、面白いと思うこと、あるいは難しくて何を言っているのかわからないところ、内容がいまひとつ自分には納得できない、ここはいったいどうしてこう言えるのだろうと疑問に思う部分を探し出す。そうした部分を、キーセンテンスのなかから、2つでも3つでも良いので抜き出してみる。それらを見てみると、これはすばらしいことを言っている、これはすごいなとか、また逆にこれは何か変ではないかな、その前段階の説明はどうなっているのだろうかとか、別のケースだったらどういうふうに説明するのか、といったようなことを考えるだろう。そうして、自分が考えたこと、感じたことを書き留めてみる。そのときに、自分の疑問や判断や評価といったものが、他の人に説明できるかどうかを考えながら行うと良いだろう。

　疑問や同意、反論にはいろいろなやり方が考えられる。例えば、自分の知っている例と合っているとか、違っているとか、もっとこういう例を考慮に入れた方が良いのではないかとか、結果的には正しいかもしれないが、もっとこういう説明をした方が良いのではないかとか、他にこういう条件をつけて説明した方が良いのではないか、といったようなことである。

　いまここで行っていることこそが、批判的な読み方であり、クリティカル・リーディングである。**批判とは単に反論するだけでなく、その論を再検討してより良い、より正しい方向へと再構築し直すことである。**だから、批判的に検証するプロセスが大切なのであって、その結果がもとのテキストと同じになってもいっこうにかまわない。

　その反論や同意が、もしかしたら自分の勘違いによって生じていることもあるかもしれない。これはおかしいと思っている自分がおかしいのかもしれない、ということを考えてみる必要がある。よくわからないと考え

たときには、厳密にどこがおかしくて、どこがわからないのか、それをきちんと書き留め、そう思う根拠をきちんと示していく。

⑤命題（テーゼ）と反命題（アンチテーゼ）

　論文全体で最終的に言おうとしていることを**命題**という。段落ごとにキーセンテンスをさがすと言ったが、**命題とはいわば、キーセンテンスのなかでもっとも重要なキーセンテンスである**と言うことができる。もっと簡単に言うならば、それは**論文の結論**と言い換えても良いだろう。学問的な論文には、必ず命題が存在する。資料データや統計データをあげただけの本も存在するが、それらは論文とは言えない。それらの資料やデータを使って、最終的に何を主張するかが、論文では大切である。

　英語では命題のことを“thesis”と呼ぶが、“thesis”という言葉自体が「論文」のことである。つまり“thesis”とは命題そのものであり、そこから命題のある文章をこう呼ぶようになったのである。命題は、しばしばドイツ語を使って「テーゼ」とも呼ばれる。クリティカル・リーディングは、本質的には論文全体のテーゼがきちんと組み立てられ、正しく証明されているかを検証する作業である。もしその論理性に問題があったり、証明の材料に問題があった場合は、それを適切に指摘し、別のより説得力のあるテーゼを用意する。テーゼを立てるとは、別の考え方があるとか、代案があるとか、自分が問題を取り上げた結果はこうであるとかいうことを論理的に述べることである。

　ある命題（テーゼ）に対して提示される反論や代案のことを、**反命題**あるいは**アンチテーゼ**という。アンチテーゼという言葉は、日本語にも定着している言葉であるが、こうした学問的な論議のなかから生じた言葉なのだ。ある論文で述べられている核心の命題に対して、別の立場から批判を加えること、つまりアンチテーゼを提示すること（それは必ずしも反対の結論に至るということでなくても良い）が、クリティカル・リーディングの核心である。クリティカル・リーディングは、先に述べたような作業を通じて、多角的なものの見方を養い、そこから自分自身の問いを見つけていく作業でもある。

●クリティカル・リーディングの結果をまとめる
──クリティカル・レビュー（書評）の書き方

さて、以上述べた作業により、キーワード、キーセンテンスを正しく見つけ、要約を行い、さらに疑問や反論、同意などを書き留めたら、それを全体として自分の文章にまとめてみる。今後どのような研究テーマを選ぶにしても、同じテーマについてすでに論じた著者のことに触れないわけにはいかないから、ここでつくった文章は、もしかすると将来書こうとしているレポートやプレゼンテーションの一部になるかもしれない。

クリティカル・レビューは、基本的に以下の表のように進めると良い[1]。当初の練習としては、20ページ程度の論文か、あるいはある本から1章程度、または同量のテキストを選ぶと良いだろう。クリティカル・レビューとして仕上げる文章は800字程度が適当だろう。

●クリティカル・レビューの進め方●

①書名、タイトル、名前、見出し	はじめにどの本についてレビューを書くのか、書式に則って書く（書式については「附録　書式の手引き」を参照）。
②概要	対象となるテキストの概要について述べる。
③要約	各段落で使われているキーセンテンスをつなげながら全体の要約を行う。もし、専門用語や重要な概念で自分自身も事典で引かなければならなかったようなことがらについては、解説を加える。
④問題提起	そのなかから重要と思われる中心的な命題を取り上げ、それについて疑問、反論、同意する点を提示する。
⑤論議	なぜ、そのように考えられるのかについて、論議を行う。そこでは、書き留めたメモのなかから、別の例を提示するなどして、別の説明などを説得力あるかたちで、論理的な文章にしてまとめる。
⑥まとめ	以上②～⑤までを要約し、結論を述べる。

---

1) なお、このようなクリティカル・レビューのつくり方に関しては、次の書物の「2章 テキスト批評という練習法」において詳しく例をあげて説明されているので、参考にすると良い。河野哲也『レポート・論文の書き方入門』（第4版）（東京：慶應義塾大学出版会, 2018), 14-29.

①クリティカル・レビューとディベートの違い

　ここでひとつだけ注意しておかなければならないのは、クリティカル・レビューを書くことは、ディベートとは異なるということである。ディベートでは自分が担当した主張を説得することに集中する。極端に言えば、自分に不利な情報は出さなくても良い。**しかし、クリティカル・レビューではつねに中立で客観的な立場を取らなければならない。**クリティカル・レビューでは、反論をするにしても、単に反論のための反論ではなく、より説得力のある客観的な立場で行わなければならない。自分が直感的にこうだと考えたとしても、それが論理的に説明できないとすれば、その考えは提示できないのだ。

②クリティカル・レビューの構成と見出し

　具体的には前ページの「クリティカル・レビューの進め方」にしたがい、以下のように、本の概要を簡単に紹介することから始める。

●例●

> 書評
>
> 中矢一義監修, 2005, 『公共ホールの政策評価——「指定管理者制度」時代に向けて』, 東京：慶應義塾大学出版会.
>
> 経済学部2年
成田　積
>
> 　はじめに
> 　バブル時代に、全国で多くの公共ホールが建設された。その多くは、建築計画が先行してソフトや運営面を考慮しないものであったため、いわゆるハコモノ行政の象徴として非難されてきた。中矢ら慶應義塾大学の研究グループは、本書でこの問題の背景を研究し、近年導入された「指定管理者制度」下において、これらの施設をどう位置づけていくかについて提言を行っている。……

この規模の文章に、必ずしも、見出しをつける必要はない。しかし、見出しをつけるとするならば、単に「概要」、「目的の提示」、「要約」、「問題の提起」などと分けるのではなく、内容を示すような気の利いた見出しの工夫をしよう。例えば、

　　要約の部分：
　　「中矢グループの提言：ミッションの確立とそれにもとづいた評価の必要性」

　　問題提起の部分：
　　「理想の姿と地方自治体の現実とのかい離について」

のように、**書く内容のキーワード**をうまく組み合わせて見出しにすると良い。

③要約の仕方に関して

　あくまでも、書いているのは自分自身であり、その後に批判的考察が続くわけだから、本や論文から文章をそのまま抜き書きしたり、まとめたりするのではなく、次の例のように、自分自身を主体とした文章のかたちにしていく。その際、その情報がどこに書かれているのかを明記する。字句通りの引用は、「　　」のなかに書く。

　　中矢らグループの主張の中心は、「×××」（228 頁）、という点にある。すなわち、○○は△△というのである［←この部分で著者の言葉を自分自身の言葉で解釈］。彼はまた、「○○○」（230 頁）、とも述べている。……さらに、これらの考察から、◇◇◇という結論に至るのである（240–241 頁）。

④論理的・学問的思考の訓練としてのクリティカル・レビュー

　クリティカル・レビュー（書評）を書いてみることは、学問的な思考

を訓練するうえで非常に良い練習になる。これをいくつか実践することで、もとのテキストから、論理的な考え方、学問的考え方を学ぶことができるし、それを要約するなかで自分自身の理解をつくり上げ、それを自分の言葉で表現するという力が養われる。そして、そこから疑問や反論、同意、別の説明、別の例による例証といった方法を試してみるという練習も可能である。これは、本格的にレポートを書いたり、論文を書いたりする前に挑戦してみることが強く勧められる学習方法である。なぜなら、他人の文章の最終的な主張（上記で述べた命題）に関して、論議をするという訓練は、自分自身のレポートや論文で自分自身の命題を打ち立てて論証する力をたくわえることにもつながるからである（124〜125頁を参照）。

☞テスト

1. 「独自の意見の書かれた感想文」と「オリジナリティのあるアカデミック論文」との違いとは何ですか。

2. 学問的な「批判」の意味を説明しなさい。

3. 以下の言葉を説明しなさい。

  ・テキスト
  ・コンテキスト
  ・クリティカル・リーディング
  ・テーゼ
  ・アンチテーゼ

📖 アカスキ・シリーズでもっと学ぼう！

・クリティカル・リーディングから論文を仕上げるさまざまな手法は、『**クリティカル・リーディング入門**』に豊富な実例を挙げて示されています。

第 5 章

情報整理

1.

記録することの大切さ

◉ 人間は忘れる生物である

　人間の記憶力には、個人差があるものの必ず限界がある。大学の初級
セミナーで扱う課題ぐらいなら、記憶力の良い人であれば、ノートを
取ったりメモを取ったりしなくても、もしかすると何とか覚えているか
もしれない。しかし、課題が大きくなればなるほどそういうわけにはい
かなくなる。実は、高校時代に成績が良かった人が、大学に入って突然
スランプに陥ることはよくあることだ。記憶力だけでは、大学の勉強は
こなしていけないからである。大学の勉強では、**考える力、整理する力、
表現する力**が必要になってくる。ノートやメモは人間のあやふやな記憶
力を補う重要な武器である。つまりノートやメモを上手に整理できると
いうことが、今後記憶力を鍛える以上に重要なスキルになってくる。

◉ 明日の自分は赤の他人

　自分で書いた字が後で読めなかったという経験はないだろうか。ノー
トは他人が読んでもある程度わかるように書くべきである。お習字のよ
うにきれいに書く必要はないが、ただその辺にある紙やメモ帳にぐちゃ
ぐちゃに書いたノートでは意味がない。また、ノートやメモをどうせ記
憶の補助手段だからと思って、汚い字でいい加減に書き留めても意味が
ない。なぜなら、適当につくったメモは紛失するし、いい加減なノート
やメモは後で読んでも何のことだかわからないからである。つまり、時
間がたてばたつほどそこに書かれた内容を頭で再現できなくなる。たと
え自分のためのノートであっても、少なくとも他人が読んでわかる程度
にきれいに書いておく必要がある。明日の自分は、まったく違う自分に
なっていることを覚えておく必要がある。

2. 紙と情報機器を駆使したノートの作成方法

　大学生の皆さんが生まれる少し前くらいまでは、すべての情報が紙で整理されていた。しかし、近年さまざまな情報機器が発達し、パソコンもスマホも大学生の必需品となった。どの情報にどのツールを使うか、その可能性は限りなく多く、テクノロジーの発達も著しいため、どの方法が標準的だとか、ましてや正しいなどということは、言えなくなった。

　だから、**よく検討して自分にもっともあったやり方を見つけてほしい。**行き当たりばったりではなく、よく考えて方法を精査し、一度選択したらその方法をしばらく続けよう。研究の情報は、蓄積することが大切だからだ。以下に、より良いやり方を見つけるための指針を記しておこう。

◉ 情報の種類と記録方法

　大学での学習・研究で作成する情報には以下のものがある。

a）授業ノート

b）研究ノート

c）文献表

d）読書ノート

e）調査データ

　記録する方法としては、以下のものがある。

①情報カードやルーズリーフ

②冊子のノート

③パソコン、スマホ上の文書ファイル、メモ帳

④クラウド上に文書を蓄積できるサービス（Evernote や Google Keep など）

⑤ Microsoft Excel®（エクセル）などの表計算ソフトや、その他情報処

理の目的に合ったデータ・ベース・ソフト、統計ソフト

　②と③以外は、高校までの勉強ではあまり使わなかったかもしれないが、大学ではとても重要になってくる。

　それではどのような情報に、どのような記録方法を使えば良いのであろうか。次の表に、それをおすすめ順に一覧にしてみた。

	おすすめの順
a）授業ノート	①情報カード＞②冊子のノート
b）研究ノート	②冊子のノート≧①情報カード＞④クラウド＞③パソコン文書
c）文献表	③パソコン文書
d）読書ノート	①情報カード＝④クラウド
e）調査データ	⑤エクセル他

　表中の記号についてだが、＞は左側がよりおすすめ、≧どちらも良いが左の方がよりおすすめ、＝同じくらいおすすめを表す。以下にひとつひとつ解説していこう。

a）授業ノート　①情報カード＞②冊子のノート

　まず授業ノートは、面倒かもしれないが手書きを強くすすめる。手で文字を書くという作業は、考える作業と直結しているからである。第2章で解説した方法で、ノートを取ろう。手書きの場合、情報カードか冊子のノートを使う。

　情報カードやルーズリーフは並べ替えができるのに対して、冊子のノートではそれができない。ただ、ルーズリーフをクリアファイルにぐちゃぐちゃに突っ込んで持ち歩いている学生を良く目にする。学期末まで整理をしないでおくと、バラバラになってなくしたり、他の授業のものと混ざって重要なノートが見つけられなかったりする。情報カードやルーズリーフは、その都度きちんとファイリングしなければ、まったく意味がない。冊子のノートは常に時系列に書かれる利点がある。その一方で、後ろの方のページの紙が無駄になることも多い（情報カードのつ

くり方については本章 105 ～ 107 頁を参照。）

　パソコンでノートを取っても良いが、キータッチ音が回りに迷惑になることもあるし、インターネットに繋がっているとついつい関係のないSNS を見てしまったりして、授業に集中できない恐れがある。紙とペンの代わりに、近年普及してきたタブレットとタッチペンを利用しても良いかもしれない。ただし、それらはまだ高価だという欠点がある。

b) 研究ノート　②冊子のノート≧①情報カード>④クラウド > ③パソコン文書

　研究ノートには、時系列で記録するものと、トピック別に記録するものがある。時系列のノートは冊子のノートが適している。科学の実験系授業を履修している人は多くの場合、一冊のノートにその日その日の作業を日誌として書き込み、得られたデータは別途パソコンに記録する。

　一方、トピック別の記録は、「事項カード」をつくり、情報カードか、クラウドのノートシステム（下記参照）に記録するのが良いだろう。研究中に思いついたアイディアだけを記録するノート「発想ノート」をつくることもある。これらは、情報量が多くなってきたときのためのやや上級の技である。その方法は107 頁のコラムに示しておく。

　クラウド上のメモ記録サービスは、さまざまな情報ノートを電子的に扱うのに適している。クラウドとは、さまざまな電子情報をインターネットのシステム上に保存し、いつでも取り出せるようにしたサービスである。Evernote や Google Keep は、その代表的なものである。これらには、1）タイトルやキーワードを自由に設定できる、2）作成日や更新日が自動記録される、3）並べ替えやフィルタリングも自由にできる、そして何よりも、4）集積された情報から文字列を、一瞬で検索できる、といったメリットがある。クラウド・サービスは一般的に、使用する端末に依存しないので、インターネットに接続されたあらゆるパソコン、スマホ、タブレットからいつでも同じ情報を取り出すことができる。

　研究ノートの手軽な使い方は、パソコン上の文書ソフトや、スマホのメモ帳に直接メモを書き込んで保存する方法である。授業レポートなど

の小規模なプロジェクトであれば、これで十分だろう。卒論やより大規模な研究では、情報の全体を見渡したり、整理したりする際に情報カードやクラウドの利用は非常に有効である。

c) 文献表　③パソコン文書

　文献表は、文献を検索している段階から、パソコンの文書ソフトに入力しておくことを強くすすめる。指定された書式に一貫して従い（巻末の「書式の手引き」を参照）、リストをつくっていく。

　図書館目録などの書誌データを、そのままコピー・ペーストしても良いが、コンマ（,）、ピリオド（.）、スペース、全角・半角の区別などには細心の注意を払って、自分が採用した書式に整えなければならない。図書館目録のデータには、書誌情報のそれぞれのフィールドのデータの区切れにコンマ（,）が使われているが、文献情報そのものにあるコンマと区別するために、コンマの前にスペースがあることが多い。文献表をつくるときには、コンマの前にスペースを開けてはならない。機械的にコピペすると、そのスペースがそのまま残ってしまうので注意が必要である。

　文献表は、文書ファイル上で、すでに手に入ったものと、まだ手配中のものに分け、それぞれ著者のアルファベット順、もしくは五十音順に並べて保存しておく。文献が手に入ったら、文献の奥付（和書の場合は巻末、洋書の場合は表題ページの裏面にあることが多い）で、文献データを再度確認して、書式を整える。

　この文献表は、レポートや論文ができあがったときに、本文の末尾にそのまま添付することができる。その際、入手しても論文で直接使わなかった文献は、除外する。入手できなかった、あるいはしなかった文献を、レポートや論文の参考文献一覧に挙げてはならない。参考文献一覧は、あくまで「参考」にした文献の一覧だからである。

d) 読書ノート　①情報カード＝④クラウド

　本を読んだら、読みっぱなしにしないで、読書ノートを取ることを強

く薦める。新しい本を読んだら、その前に読んだ本の記憶は次第に薄れていくし、情報が頭の中で混乱することもある。**ノートを取る作業は、自分の思考を整理し、可視化する作業でもある。**

　読書ノートには、情報カードを使うのがいちばん良い。読書ノートの作り方は基本的に、講義ノートと同じと思って良い。講義ノートはスピード勝負だが、読書ノートは自分のペースで作れる。**読みながら自分自身で考えたことや疑問などを欄外に区別して記入**しておくと良い。そこから、論文全体の命題（テーゼ）にあたるような（90、124頁）着想が生まれるかもしれない。

　読書のスタイルには、精読と速読がある。それに応じたノートの取り方がある。

精読カード

　キーワードやキーセンテンスを抜き出しながらじっくりと読んでいく際に作成するのが、精読カードである。あることがらについて調査を始めたとして、そのことがらの基本資料となるような文献は、精読カードをつくっていくと良いだろう。また、あるテキストについて詳細な分析を加えるレポートを書く場合も、そのテキストを詳細に読んでいく必要があるだろうから、精読カードを作成する。

　精読カードは、文献を読み進めながら同時に作成していく。本章の105頁以降で紹介するA5判の情報カードでいえば、精読カードはもとのテキストの2〜3頁の情報を、カードの1頁に収めるくらいと考えると良いだろう。

　精読の方法は、クリティカル・リーディングの方法として第4章で詳しく説明した（82〜94頁参照）。この作業の過程をメモし、抜き取っていくキーワードやキーセンテンスをそのままノートに書き留めていけばそのまま精読カードができあがる。

　記入する事項は次の通りである。

1.　カードのタイトルや日付（本書でいう、106頁の整理データ記入欄）

●精読カードの例●

	chap. ① 3−1
	宮本(直) 2006
	R　2006. 5. 2

宮本直美，2006，『教養の歴史社会学──ドイ
ッ市民社会と音楽』，東京：岩波書店.

第1章　教養を求める人々
p.29　1. 市民のアイデンティティ──教養という希望
　　　1）教養市民研究（Bildungsbürgertum）
　　　　　– ビーレフェルト学派、（1986–）
　　　　　　　市民の定義の放棄　　　　［Kocka 1988］など
　　　　　　　境界不明瞭の共通市民文化（生活様式、価値観）
○　　　　– フランクフルト・プロジェクト
　　　　　　　都市市民層の実態調査（名簿、納税帳）

　　　　　　　　　　　　　　　　　　　　　［→　？文献］

　　　　宮本研究：ビーレフェルト派に負う

　　　　　　実体のない社会意識を対象

p.31　2. 市民的文化
　　　　Bildung（教養）の輪郭

　　　　　– 身分としてのエリート（野田 1988）
　　　　　– Abitur（中等教育修了）と同等の女性（Ringer 1992）
　　　　　– Bildungspatent（特許）と生活実態（Kocka 1985）
○　　　　共通点：学歴をもつ階層・身分
　　　　　　　　　　大学教育→官僚制

　　　　（しかし、唯一ではない）（M. Weber）

　　　　宮本の視点：教養と市民のゆるやかな結びつき
　　　　　　　　　理念的「教養市民層」
　　　　　　　　　× 実体的　　＝政治・法・経済

p.33　言語　　＝共通言語としての国語形成

　　　↖　　ナショナリズム研究（Anderson, Benedict 1983）

2. 文献の完全な書誌データ（書き方は 177 ～ 185 頁を参照）

3. 左の欄には、例えば（p. 36–1）のように、その文献の何頁の第何段落かを書く。

4. キーワードやキーセンテンスを、ノートの取り方と同じ要領でグラフィック化して書く。段落ごとの最重要キーワードを一番はじめに書き、線を引いたり四角で囲んだりして強調させておくと良い。

5. 自分自身のコメント。つまり、自分で疑問に思ったこと、後で調べようと思ったこと、用語の意味を補足的に記入する。

6. カードは両面を使う。

速読カード

　速読カードは、ある文献を読み終わった後に、ざっとその内容を記入する。本の 1 章、あるいは 1 本の論文を A5 判カードに 1 ～ 2 頁程度に収める。その文献の概要やおおざっぱな内容、論証の方法などとともに、その著者の主張の核心を書き留める。

　速読カードも精読カードと同じように、1. カードのタイトルや日付、2. 完全な書誌データ、3. どの部分を読んだカードであるか、4. 内容（キーワードをわかりやすくグラフィック化）、5. 自分自身のコメント、などを記入していく。

本に直接書き込み、まとめを情報カードまたはクラウド・データベースに記入する方法

　本に書き込むというノートの取り方は、多くの研究者・学生がよく行っている。重要と思う箇所に線を引き、欄外にメモを取るというやり方である。キーワードをいちいち書き写す必要がないので、速読しながらでも、自分の思考の過程をそこに残すことができる。

　マルティン・ルターは、自身が出版した聖書の中に、多くの書き込みをしており、それ自体が彼の聖書解釈に関する重要な論考となっている。かつてはこの方法が、多くの研究者が行った典型的な読書ノートの取り方であった（ただし、その際、図書館で借りた本に書き込みをしては決

していけない)。

　本に直接書き込む場合、読了した後に、その内容をまとめてノートをつくっておくことを強く薦める。その際、情報カードでも良いし、クラウド上のメモ記録サービスを使うのも非常に有効である。たくさんの文献を扱う研究の場合、時間をかけて蓄積された情報を後で横断的に検索することができるし、そのノートは実際の論文の執筆の際に非常に役に立つ。

e) 調査データ　⑤エクセル他

　これは大学1、2年生には少し先の話になるかもしれないが、研究の方法によっては、さまざまな調査データを扱う必要が生じる。研究上の調査データとしては、以下の例が挙げられる。文献に現れる情報の分析データ、音楽・美術・文学などの作品データ、分析データ、アンケート調査の結果、ヒアリング調査、インタビュー調査、その他の実地調査で得たさまざまなデータなどである。

　これらのデータは、まずエクセルなどの表計算ソフトを使って記録するのが一般的である。しかし、そのデータを目的に応じて処理しなければならない場合には、さまざまな専用のソフトを使う必要がある。エクセルもある程度の統計処理機能やリレーショナル・データ・ベース（表形式で管理するデータ・ベース）としての機能を備えているが、目的別の専門ソフトよりも劣るからだ。専門ソフトの代表的な例としては、統計処理のためのSPSS[1] や、データベースであるFileMaker Pro®、マイクロソフト Access® などが挙げられる。

　これらのソフトを使いこなせれば、より大量の情報を、より効率的に、より学問的に処理することができる。こうしたソフトの使い方は、必要が生じた時点で、なるべく早期に身に付けるのが良い。知識、思考力や総合判断力は年齢が進むにしたがって向上するが、テクノロジーに順応する能力は、若い方が高く、年齢とともに劣っていくからだ。

1）統計解析ソフト IBM SPSS Statistics®。

3.

情報カードのつくり方の一例

　ここでは、紙を使った情報整理の方法のひとつとして情報カードのつくり方を紹介する。これはほんの一例であるので、これを参考にしながら自分に合った方法を探して欲しい。このカードは読書ノート、講義ノート、研究ノートなどさまざまな使途に使うことができる。

●用意するもの

① A5 判の紙

　研究上の情報カードは、A5 版をすすめたい。線が入ったものである場合は、5mm の方眼線がもっともおすすめである。情報をグラフィック化する際に書きやすいし、見やすい。このサイズであると1回の講義のノートがだいたい両面で1枚で収まることが多い。

　A4 版は、読書ノートなどを取る際に、どうやっても余白が多く残る。B5、B6 版は使われる頻度が少なくなってきた。B6 版は右側に余白が残る上に、小さすぎて枚数が増えて扱いにくい。

② A5 判縦用の2穴ファイル

　この種のファイルは、市販のものが多く出されている。大きな文房具店に行くかネット上の文房具店で手に入る。これに加えて仕切り用に使えるクリアポケットなども一緒に手に入れておくと良い。

③ 2穴用パンチ

　以上のものが用意できたら、A5 判の長い辺に2穴パンチで穴を空ける。そのうえで、すべてのカードをファイルに綴じる。

◉ 情報カードへの記入法

　まずカードの右上に整理データを記入する。カードの右上を、例えば図のように線で区切り、下記の必要事項を記入する。

①整理番号

　何枚中の何枚のように、必ず記入する。複数枚に渡ったときにとくに重要となる。

②カード・タイトル

　講義名、文献の略記など。文献の場合は「湯川 2001」のように、著者と出版年を記入しておくと良い。

③カードの種類を表す記号

　カードの種類を表す記号を記入する。これにしたがってファイリングすると良い。上記例のLはLectureのLすなわち講義ノートを表す。

④日付

　重要。必ず書く。

　以上をその都度必ず記入し、すぐにファイリングする習慣をつけておくと、散逸する心配は少なくなる。

◉ ファイリング
カードは、その日のうちに必ずファイリングする。

整理記号のアルファベット順、同じ整理記号のものは日付順で並べる。クリアファイルで仕切りをつくり、見出しを記入しておくと良い。

日に日に、ファイルが蓄積されていくのを見るのは、とても気分が良い。自分の知識の蓄積が、見えるからである。最初にも書いたように、人間は忘れる生物である。しかし、記入したカードをめくっていくと、単に漫然と講義を聞いたり、漫然と本を読んだり、漫然とネット情報に目を通すだけとは、まったく異なる知的な自分が作り上げられていることを、実感するはずである。

そのためにも、ノートや情報カードは、一貫した方法で取り続けることを強くすすめる。

コラム ●

事項カードと発想ノートを使いこなす

事項カード

卒業論文のようにより規模の大きな研究では、多くの文献を読んだり、さまざまな調査をして研究を進めていく。自分の読書ノートがたまっていくと、だんだん全体が見渡しにくくなっていく。それらの情報に横串を指すのが事項カードである。

例えば、複数の文献を読み終わった後、あることがらについて2人の著者が別々の主張をしていたとする。そのときに、そのことがらをキーワードとしたカードをつくっておく。あるいは、複数の人にインタビューで同じ質問をしたとする。それぞれはもちろん違う答えをするだろうから、質問ごとに事項カードをつくって、各人の答えの要点を短く書いておく。

実際に論文を執筆する際には、このカードを見ながら、さまざまな情報、さまざまな著者の主張あるいは被質問者の答えを比較し、そこに自分自身の考察を加えていくことになる。

あちらこちらに分散して記述されたさまざまな情報を整理して把握す

るために、事項カードは有効である。論文の規模が大きくなればなるほど、事項カードは役に立ってくる。論文の章の構成や節の構成をこのカードを見ながらつくっていくことができるからである。

発想ノート

　発想ノートには、さまざまな思いつきを書いておく。ある事項に直接関連して思いついたことは、その事項のカードまたは、読書カードの欄外に書いておけば良い。しかし、どのカードにも分類できないような発想、今度こんなことを調べてみたら良いのではないかとか、こういう問題があるのではないか、と読書中や調査中に思いついたことは、別途発想ノートに記録しておく。

　ここに記入することは、勉強をしていくうちに実はつまらないことだったとわかるようなことであるかもしれない。事実、筆者自身の経験からいっても、ここに書かれることのほとんどが人には見せられない、とても恥ずかしいばかげたことであると後でわかることは多い。しかし、**あらゆることに疑問をもち続けながら、さまざまな発想を書き留めていくうちに、そこから思わぬ宝物が発見されることもある。**自分自身の問い、独自の問題設定とその解決方法が、ここから見つかるかもしれない。

4.

レポート、プレゼンテーション作成準備の最終段階：アウトラインをつくる

　一般的に論文やレポートを書く際には、まずテーマを決め、そして文献表を作成し、その文献を読み進めていくわけだが、その後執筆を始める前にはアウトラインをつくる。アウトラインとは、本の目次に相当するもので、さまざまな情報を階層的にまとめ、それぞれの節のキーワードを用いた見出しをつけたものである。

●アウトラインは書いているうちに変わる

　アウトラインをつくる段階では、自分がどのテーマで何を書こうとしているのか、どのような問題意識をもっているのかという見通しがある程度立っている必要がある。しかし、それが一点の曇りなく見えている必要があるかといえば、決してそうではない。アウトラインはその論文を書いているうちに変わるし、それで良いのである。**書き始める段階では、アウトラインはあくまでも仮のもので良い。**

●アウトラインの例●

　　　ニート ―― 雇用側と若者の意識落差はなぜ生じるか

　　　　　　　　　　　　　　　　　　　　　　　　　　商学部 2 年
　　　　　　　　　　　　　　　　　　　　　　　　学籍番号 12345678
　　　　　　　　　　　　　　　　　　　　　　　　森　まどか

1.　はじめに：本論の目的と方法
2.　ニート
　　1）ニートとは
　　2）ニート増加の背景
　　3）ニートの問題点
3.　日本の労働市場構造
　　1）日本の雇用慣行
　　2）不況による求人の激減
　　3）派遣社員の登場
　　4）企業の即戦力要求傾向の増加
4.　若者のリアクション
　　1）自立が困難な状況
　　2）若者の意識 〜 意識調査統計から
5.　問題整理と分析
　　1）ミスマッチはなぜ生じるか
　　2）解決の可能性について
6.　まとめ

◉ アウトラインをつくる方法

　アウトラインをつくる段階で、これまで知り得たさまざまな情報をうまく組み合わせて論理的な流れをつくる必要がある。その際、諸情報のなかから、レポートに盛り込む内容を取捨選択し、並べ替える。その方法には、一般的にふたつある。

方法1：文書作成ソフトにキーワードをどんどん入れて、意味のある
　　　　つながりに並べ替える。
方法2：ラベルにキーワードを書いたものをそれを広い場所で並べ替
　　　　え、文書作成ソフトに書き写す。

　4000字程度までのレポートをまとめる場合は、方法1で十分かもしれ
ない。しかし、長い文章を書くときは絶対に方法2の方が良い。第2の
方法は、KJ法の名でよく知られている。次節ではこのKJ法について説
明することにしよう。

5. KJ 法について

● KJ 法とは

　KJ法というのは、あらゆる雑多な概念を論理的にまとめて図式化する
手法のひとつである。レポートや論文、プレゼンテーションなどを作成
する際に、雑多な情報を取捨選択し、アウトラインをつくるときにこの
方法は非常に役に立つ。これは川喜田二郎という文化人類学者が提唱し
たやり方なので、そのイニシャルを取ってKJ法と呼ばれるのだ。川喜田
は『KJ法——渾沌をして語らしめる』という著書のなかで、物事の発想
の仕方や、KJ法の由来や学問的・理論的裏付けについて、かなり詳細に
記している。ここで紹介するのはそのごく初歩的な一部分で、しかもこ
れを簡略化して説明したものである。KJ法について詳しく知りたい場合
は、彼の本を直接読んでみると良い[2]。

---

2) 川喜田二郎『川喜田二郎著作集〈5〉　KJ法——渾沌をして語らしめる』（東京：中央公
　論社，1996）.

●用意するもの

　KJ法を実践する場合に必要なのは小さな紙切れだけである。それらをまとめる輪ゴムかクリップがあればなお良い。1970年代頃からKJ法は流行し、その当時KJ法専用のカードや図式化する際に使う専用のラベルなどがつくられた。しかし、実際にはそういうものは必要ではなく、やや大きめの字で数語のキーワードが書ける程度の大きさの紙をたくさん用意すれば良い。あとはそれを貼り付けることができる大きな紙を用意する。ポスト・イット®のような、貼ったり剥がしたりできる紙片を用意して、白板に貼り付けるというのでも良い。

ステップ1：キーワードを集める

　読書や調査がある程度進んで、アウトラインをつくろうとするとき、その時点ではいろいろな情報が頭のなかを交錯しているだろう。とりあえず、自分が何となくこれについて書きたいと思ったキーワードを片っ端から、用意した紙片に書いていく（この紙片を川喜田は「ラベル」と呼んでいるので、以下ではそう呼ぶことにする）。**ラベルには必ずひとつのキーワードを書く**。とにかくこの時点では、考えられる事項を大きなテーマから、個々の事例に至るまでなるべくたくさんラベルに書いていく。

　3.で説明した読書カードや4.で説明した事項カード、発想ノートをつくっていれば、そのなかから今回のレポート・論文（またはプレゼンテーション）で扱おうとしていることに関連するキーワードをすべて、それらのカードから抜き取りながら書き出していく。

　キーワードを単語で表現できないときは、単語を連ねた表現のかたちで書いても良いが、大切なのはひとつのラベルにはひとつの事柄のみを書くことである。ふたつ以上のことを1枚のラベルに書いてはいけない。

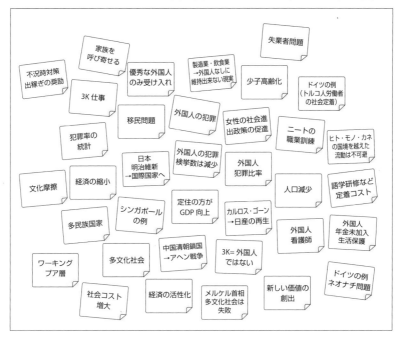

ステップ2：関連するものをグループ化する

　次のステップは、それらのキーワードのグループ化である。たくさんのキーワードが集まったら、それを広い机または床、あるいは白板の上に広げ、全体が見渡せるようにする。そして、それらをじっくり眺めてみる。そうすると、似たようなキーワードや関係する言葉があることに気がつくだろう。表現は違うが同じことを言っているものや、今回の主題とはあまり関係なさそうなものも見えてくるだろう。関連するものをひとつのグループとしてまとめ、関連しないものは除外する。

　また、表現は同じであるが、別々に分けて考えた方が良いと思うことも出てくるだろう。その場合は、区別する表現を考えてもう一枚別のラベルをつくり、それぞれのグループにあてがっていく。

　どのグループにも属さないように見えるものもこの段階で出てくるだろう。その場合ラベルが1枚だけ残ってしまうものである。これをKJ法

では「一匹狼」と呼んでいる。この狼を除外するか、あるいは中に組み込むかは、ステップ4の段階で考えれば良いのでとりあえずそのままにしておこう。

ステップ3：それぞれのグループにタイトルをつけ並べ替える

　グループ化の作業ができたら、それぞれのグループにタイトルをつけていく。既にラベルにあるキーワードがそのタイトルにふさわしいこともあれば、別の言葉をつけた方が良いこともある。それを考えて**グループ代表のラベル**をつくる（KJ法ではこれを**表札**と呼んでいる）。できたらそれらのラベルの束を、タイトルの紙を一番上にして輪ゴムで留める。

　もし、この時点でラベル束が10も20もあったとすれば、もう一度一番上のラベルだけを見てステップ2を繰り返す。ひとつのテーマをまとめるには、ラベルの束が最終的に4〜5束くらいになるのが一番良い。

ステップ4：グループ内部の論理をつくり上げていく

　それができたら、広い机や床の上でラベルを並べ替えてみる。KJ法ではこれを模造紙のような大きな紙でやることを勧めているが、片付けた机や床の上で行っても良いだろう。

　グループ内部での、各キーワード同士の関係を考えながら、それについて記述したり、説明したりする際に、どのような順番で話を進めていくとわかりやすく、論理的であるかを考え、その順番にうまく並べていく。

　その際、**それぞれのキーワード同士の関係**を明確にしよう。つまり、イコールの関係なのか、類似の関係なのか、原因と理由の関係なのか、集合と部分集合の関係なのかを考えてみる。それらの関係を表す「＝」「≒」「∴」「∵」「＞」などの記号を書いたラベルをつくってその間の関係を表すようにしても良い。

　ひとつのグループのなかにさらに小グループをつくった方が良いと思われる場合は、上記のようにしてまた小グループの表札をつけ、その仲間のラベルを論理的に並び替える。

● KJ法の結果 ●

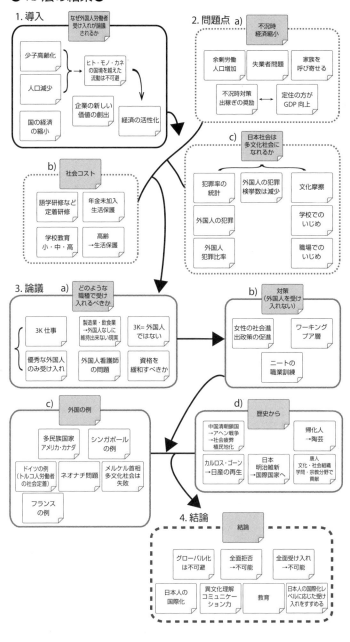

1. 導入

なぜ外国人労働者受け入れが論議されるか

- 少子高齢化
- 人口減少
- 国の経済の縮小

→ ヒト・モノ・カネの国境を越えた流動は不可避

- 企業の新しい価値の創出
- 経済の活性化

2. 問題点 a)

不況時経済縮小

- 余剰労働人口増加
- 失業者問題
- 家族を呼び寄せる
- 不況時対策出稼ぎの奨励 ⇄ 定住の方がGDP向上

c)

日本社会は多文化社会になれるか

- 犯罪率の統計
- 外国人の犯罪検挙数は減少
- 文化摩擦
- 外国人の犯罪
- 学校でのいじめ
- 外国人犯罪比率
- 職場でのいじめ

b)

社会コスト

- 語学研修など定着研修
- 年金未加入生活保護
- 学校教育小・中・高
- 高齢→生活保護

3. 論議 a)

どのような職種で受け入れるべきか

- 3K 仕事
- 製造業・飲食業→外国人なしに維持出来ない現実
- 3K= 外国人ではない
- 優秀な外国人のみ受け入れ
- 外国人看護師の問題
- 資格を緩和すべきか

b)

対策（外国人を受け入れない）

- 女性の社会進出政策の促進
- ワーキングプア層
- ニートの職業訓練

c)

外国の例

- 多民族国家アメリカ・カナダ
- シンガポールの例
- ドイツの例（トルコ人労働者の社会定着）
- ネオナチ問題
- メルケル首相多文化社会は失敗
- フランスの例

d)

歴史から

- 中国清朝鎖国→アヘン戦争→社会疲弊植民地化
- 帰化人→陶芸
- カルロス・ゴーン→日産の再生
- 日本明治維新→国際国家へ
- 唐人文化・社会組織学問・宗教分野で貢献

4. 結論

結論

- グローバル化は不可避
- 全面拒否→不可能
- 全面受け入れ→不可能
- 日本人の国際化
- 異文化理解コミュニケーション力
- 教育
- 日本人の国際化レベルに応じた受け入れをすすめる

さて、ここでステップ 2 でそのままにしておいた「一匹狼」のラベルについて考えてみよう。こうして論理をつくっていくと、なぜそれが一匹狼なのかということが見えてくるだろう。もしかすると、それを言い換えるとどこかのグループに属させることが可能かもしれないし、まったく別の問題として扱った方が良い、あるいは今回は除外して考えた方が良いかもしれない。そのような判断を、ここで行う。

これができた時点で、ラベルを見ながら人に何が説明できるか考えてみる。そこでは、いままでごちゃごちゃとして訳がわからないと思っていたことが、ある程度すっきりと見えてくるはずである。

ステップ 5 : 大きな紙に貼りつけアウトラインを完成させる

これらのラベルを大きな紙に並べて貼りつけ、アウトラインを完成させる。各ラベル・グループの表札は、その階層に応じてそのまま各章や各節、各項のタイトルとなる。そして最後にそのアウトラインをワープロで書きとる。

ここまで行うと、この作業が実は、**読書カードや講義ノートをつくるときの逆の道筋をたどっている**ことに気がつくだろう。つまり、読書カードや講義ノートは、読書をしながら、あるいは講義を聴きながら、キーワードやキーセンテンスを見分けていき、その論理的流れ、すなわちそのテキストや講義のアウトラインを再構築する作業であった。今度は自分自身が、**さまざまな雑多な情報のなかからキーワードを見いだし、そこから論理的なアウトラインを構築し、そしてそれを肉づけしてプレゼンテーションやレポート・論文として仕上げていく**のである。

◉KJ 法とグループ作業

KJ 法は、実はグループで行う作業にとても向いている。すなわち、さまざまなアイディアや情報を、各人が持ち寄り、そのなかでもっとも有益な情報は何かを見分け、第三者に説明するためにはどのように論理を構築していったら良いか、ということをディスカッションしながら決め

るときに、この方法は非常に役に立つ。

これは、学問的な研究の成果を発表するときはもちろん、ビジネスの方針を立てたり、さまざまな社会的活動を行ったりといった、生活のあらゆる場面で役に立つ。

大学の少人数の授業では、グループで何かについて調査し発表するときなどに、KJ法を使ってみると良い。また、レポートや論文を実際に書いてみたときに、何か内容がごちゃごちゃして混乱しているなと思われる場合、もう一度そのレポートや論文からキーワードやキーセンテンスを抜き取ってラベルに書き、並べ替えるとそのレポートや論文の問題が明確に見えてくることもある。

われわれは生活していくなかで、話し合いを通じて問題を発見し、解決していかなければならない場面に、しょっちゅう出くわす。問題発見と解決という作業は、何も学問の世界に限られたことではない。話が堂々巡りしているなとか、混乱して訳がわからなくなっているな、と思ったときは、KJ法的な発想がその混乱からわれわれを救い出してくれるかもしれない、ということを覚えておくと良い。そのためにも、大学のセミナーなどでこうした経験を積んでおくことは、将来とても役に立つので、ぜひお勧めしたい。

☞テスト

1. これまであなたはどのようにノートを取ってきましたか。この章を読んでどのような改善をしようと思いましたか。これから試してみようとする自分自身の方法を説明しなさい。

2. KJ法における次の用語を説明しなさい。

 ・一匹狼
 ・表札

📖 **アカスキ・シリーズでもっと学ぼう！**

・参考文献とは何かがわからないとき

　　　→『**ダメレポート脱出法**』45 〜 51 頁

・グループでブレインストーミングを行い情報をまとめる方法

　　　→『**グループ学習入門**』49 〜 59 頁

・調査データのまとめ方

　　　→『**実地調査入門**』70 〜 82 頁

・調査データの定量分析の方法

　　　→『**データ収集・分析入門**』92 〜 114 頁

・調査データの定性分析の実例

　　　→『**データ収集・分析入門**』116 〜 139 頁

第6章

研究成果の発表

1.

研究のアウトプット

　前章までは、さまざまな情報を集めて（インプット）、整理することについて述べた。ここから述べるのは、いよいよ結果をまとめて発表する、アウトプット作業についてである。これは、学問的作業のもっとも根幹的な部分と言って良い。

　アウトプットには以下の形式がある。

1. 口頭発表（セミナー発表、プレゼンテーション）
2. 文章（レポート、小論文、クリティカル・レビュー、論文など）
3. 電子文書による公開（ウェブ文書、ppt 文書など）

　第 1 の口頭発表はリアル・タイムに人を説得する技術を必要とする。第 2 の文章によるアウトプットは、大学のなかでこれまでもっとも重視されてきた方法であり、その技術は奥が深く、ルールも複雑である。第 3 のアウトプット技術は情報化社会のなかで基本的なスキルとして重要度を増してきている。

　しかし、古典的なアウトプット形式であれ、電子文書であれ、それが学問的なアウトプットである限り、ある程度共通の基盤をもち、共通のスキルのうえに成り立っている。したがって、本章ではまずその共通する基盤について述べることにする。

2.

学問的問いとは何か

● テーマ設定の検証

　本書では、自分で問題を発見し解決する能力を磨くことを前提に、これまでさまざまなスキルについて説明をしてきた。これは、用意された問題に対する、用意された答えを見つけるという作業とはまったく異なる。そこでは、ものの見方や考え方におけるオリジナリティが要求される。しかし、ここで言うオリジナリティとは、個人的な感想を述べたり、一方的な主張を述べたりすることとは異なる。それは、**誰もが再検証可能な方法を使って、まだ誰も明らかにしなかった真実を明らかにすることに他ならない。**

　文献を調べ、アウトラインを作成した段階で、その研究テーマに関するある程度の見通しがついているだろう。ここでもう一度、そのテーマが実現可能なテーマかどうかを考えてみると良い。第 1 章 5. で述べた「研究テーマの三箇条」、すなわち①対象が明確か、②方法が明確か、③扱う情報量が適切かということを、この時点でもう一度読み返してみよう（第 1 章 20 〜 21 頁）。アウトラインと文献表ができたら、場合によってはこれまでの研究ノートも併せて教師に見せてアドヴァイスをもらうのが良いだろう。

● 反証可能性

　日常の生活では、膨大な情報が飛び交っている。口コミ情報もあれば、携帯やスマホの短いメッセージから、さまざまな私的メール、公的文書、業務文書、あらゆる説明文などがある。また、口頭発表に似たことは、人を説得するとか、就職面接におけるアピールといった場面で、日常生活のなかでわれわれはいつも接している。また、莫大な量のウェブ文書

が世界中の人に公開されており、内容の薄い感想文や中傷文書から高度な科学技術に関する文書までを同じコンピュータの画面に表示させることができる。

このような人間の営為としてのさまざまな情報発信活動のなかでも、大学で学ぶ「学問的」情報発信と、その他の日常的情報発信との間には、決定的な違いがある。その違いとは、**学問的情報発信にはつねに、公共的・普遍的な「問い」が設定され、それに対して、誰もが納得する「答え」が提示されている**ということである。このことに関しては、第1章でも述べたが、問題設定が適切に行われ、それに対する説得力ある答えが見つけられたか、ということが、実際のアウトプットの作業で問われることになる。

普遍的な問いの設定と論理性をもった答えの提示は、科学的命題の性質である「**反証可能性（falsifiability）**」と呼ばれていることにもつながっている。「反証」というのは、ある言説や命題（テーゼ）が間違っていることを証明することであるが、反証可能性とは、ある言説や命題を別の人が同じ手続きを通じて再検証することが可能であり、場合によっては反駁され、反証され、新しい言説や命題に更新される可能性をもつ、ということである。ここでいう科学とは、いわゆる理系の学問分野だけを指すわけではない。文系の社会科学や人文科学の学問分野でも同じことがいえる。既存の仮説に対し、あらゆる学問的手続きを通じて反駁を加えることによって新たな仮説をうち立てる。このプロセスのなかに学問の本質がある[1]。

●レポートと感想文との違い

レポートや発表の課題が与えられる際に、「自らの視点で論じよ」と指示されることがある。そうした場合よく見られるのは、本で調べたことを、うまくそのまま写して再現し、一応最後に参考文献として写したも

1）科学と非科学の境界をこのように規定したのは、カール・ポパー（1902–1994）である。この理論について詳しく知りたい場合は、まず以下の書物を読むことを薦める。カール・ポパー『推測と反駁―― 科学的知識の発展』、藤本隆志，石垣壽郎，森博訳（東京：法政大学出版局，1980）．

との文献を並べて書いて、最後に「感想」とする段落をつけて、そこで初めて自分の言葉で語り始める、というものである。最後の「感想」という段落には、この本は面白かったとか、好きになれなかったとか、こんなことを自分は知らなかったのでためになったとか、そうしたことが書いてある。自分の自由な思いを述べたものは単なる「感想文」であって、それでは「自らの視点で論じたレポート」と言うことはできない。

「自らの視点をもつ」というのは、思ったことを自由に述べることでも、主観的な感想を述べることでもない。ここで求められている「自らの視点をもつ」ということは、主体の視座を明確にするということである。主体の視座とは独自の着眼点と言い替えても良い。主体の視座の明確化とは、学問的なアウトプットをする場合つねに求められる客観性・普遍性を確保するということである。つまり、「自らの視点をもつレポート」とは**独自の着眼点から、説得性のある論理を展開した文章**なのである。

● 客観性・普遍性とオリジナリティ

それでは、自分自身の独自性と客観性との関係をどのように考えれば良いのだろうか。学問的成果における客観性・普遍性とは、発表や論文で述べられている内容が同じ学問の共同体にいる他の人と共通の言語で語られ、他人が判断しても論理的にそして原理的に正しいと認められようとする態度である。それは自らの思いを一方的に述べればそれで良いとする主観的態度とは相容れないものである。

しかし、それと同時に、自分というものが雲散霧消するものでもない。対象を理解しようとする自分自身はどこまでも存在し続ける。そして、客観的であろうとするその主体も、時代や環境に拘束を受けている。**それゆえに、主体が座標空間におけるどの位置から対象を見ているか、というその視座が明確にされていなければならない。**この作業を通じて学問の対象を考察することによって、時空の座標軸における自らの位置を知ることも可能となる。学問を行う主体と学問的対象とは、双方向の関係をもつのである。

大学の課題でオリジナルな研究をするということは、まだ誰も発見し

なかった事実を発見せよということでは必ずしもない。大学に入り立ての学生が、経験のある専門研究者のうち立てた説や、長年の定説に反駁したり、新たな説をうち立てたりすることは、普通はできない。しかし、いま述べた**主体（自分）と客体（研究対象）の関係に、オリジナリティを見つけ出せば良い**のである。つまり、どんな権威ある説もそれを鵜呑みにはせず、自らの視点で再検討し、その意味についてつねに問いただしていくという態度は絶対に必要である。さまざまな情報を得て、それを整理する過程で、自分自身の視点で事物を見つめ、新たな問題を発見し、それを解決しようとする努力を繰り返す。最初の漠然とした疑問を解決するために、さまざまな調査や実験を行う、それによってある程度いろいろなことがわかってくる過程で、さらなる疑問を見いだしていく。ひとつのトピックを扱った複数の研究を比較してみると、それぞれの研究への疑問点やその欠点が見えてくるであろう。そこに自らの視点を加えていくことにより、最初の漠然とした個人的な疑問は、やがて普遍的で学問的な疑問へと高められていくはずである。

　学問をするということは、個人的な疑問を普遍的な疑問へと高め、それを批判的に検証し、別の視点から検討した際に妥当性を欠く場合は論理的に反駁し、さらには新たな独自の命題を提示する、という一連の作業のことである。どんなに権威ある書物に書かれた言説も、自らの視点で独自に、批判的に検証することが重要である。

　初学者の行う研究のオリジナリティとは、**既に発見されている事実を、自分自身のやり方で再検証してみる**というのでも十分である。受け身や受け売りでない思考と、検証と論理的証明のプロセスがオリジナルであれば良いのである。

●命題（テーゼ）とは、仮説とは

　第4章でも述べたように（90頁参照）、学問的論文には、**客観的に検証可能な命題（テーゼ）**がなければならない。ここでいう命題（テーゼ）とは、論文で最終的に明らかにされるべき結論のことである。それを、英語では"thesis"あるいは"thesis statement"と言う。論文とは、いわ

ば**命題の証明の過程**に他ならない。

　かつては、まず問題提起をし、さまざまな証拠や論拠を挙げて、最終的に結論を述べる、というのが、学術論文では一般的であった。しかし、近年では、結論として明らかにされる命題（thesis statement）を、先に述べてから論述を進め、最後に命題の正しさを確認する順番で書く論文のスタイルが、自然科学系ではほぼ標準となっており、人文・社会学系の論文でも非常に多くなってきた。

　この「命題」を明らかにするということは、本書がこれまで述べてきた、問題を設定し解決することとまったく同じである。あるテーマに対して、調査を行い論理的な論議によって一定の真理に到達することが論文を書く作業であり、そこで到達した一定の結論が「命題」である。論文から命題を読み取るということについては既に述べたが、今度は自分自身の命題をつくることになる。これこそが論文（"thesis" ＝命題）を書く作業の核心である。

　論証、あるいは証明が行われる前の命題は、「**仮説**」（英：hypothesis、独：Hypothese）と呼ばれる。第4章で指摘したように（90頁参照）、反命題（アンチテーゼ）を立てて論証をするという方法もある。これは、旧来の説に対立する命題を提示し、より高次の正しさに到達するという証明方法のひとつである。

　なお普通のレポートで、「これこれが私の命題である」とか、「私はこれこれの説に対してアンチテーゼを打ち立てる」などと書くと、表現が大げさでかえって滑稽である。「最終的にこれこれの結論に到達する」あるいは「これこれの説の問題点を指摘する」くらいの表現の方が良いだろう。

●「何を研究するか」ではなく「なぜ研究するか」

　まだ先のことかもしれないが、卒業論文や修士論文の発表会や審査会でよく聞かれる質問に、「**それでこの研究には何の意味があるのですか**」「**この論文を読んだら、どんな良いことがあるのですか**」「**それであなたは何が言いたいのですか**」というのがある。こう聞かれると、学問の初

心者である学生は、「私が半年かかって調査し、仕上げた論文を否定された」、とか「先生にいじめられた」とかいったような感想をもってしまうことが多いようである。実はこの質問、どの学問分野でも普遍的に問われる質問で、表面的に響くほど意地悪な質問ではない。むしろ、学問の営みの意義に対する根本的な問いであり、学問に携わるものが皆（審査員の教授も含め）自問し続ける問いなのである。論文の審査会は、英語で「ディフェンス」と呼ばれるが、論文にはまさに、その意義への問いという攻撃に対して、強力な防衛武装が必要なのだ。

　どの分野にせよ、論文には事実やデータという材料が必要である。しかし、この材料を羅列しただけでは、論文にならない。例えば、あるローカル線の毎日の利用者数と曜日ごとの変化や季節変化を長期間通い詰めて調査したとしよう。その数の統計は、これまで誰も調査しなかった貴重なものでオリジナルなものであるかもしれない。もしこの種のことが、小中学校の夏休みの自由研究であれば、先生は「よくがんばりました」と誉めてくれるかもしれないが、データを羅列して表やグラフにしただけでは、学問的成果と呼ぶことはできない。

　論文に使われるあらゆるデータや資料は、それ自体を提示することに意味があるのではない。**「なぜこのデータが必要であったか」「このデータによってどのような意味ある事実が証明できたか」**という「問い」に対する「答え」を与える材料であると、誰もが納得いく方法で提示できたとき、データや資料は生きてくるのである。

　データや資料の収集とその分析は、地道で根気のいる作業である。緻密なデータの積み上げがなくしては、説得力のある証明は不可能である。あらゆる学問的作業のほとんどの時間はこの作業に費やされることになる。しかし、その過程で**データや資料収集が自己目的化し、結局自分が解決しようとしていた問題そのものが何であるかが不明確になってしまう**、という危険はつねにある。

　学問的作業を行う際は、データや資料に埋もれることなく、設定した問題に照らし合わせながら「なぜこの資料やデータが必要なのか」ということをつねに自問し続けなければならない。これは**「なぜ研究するの**

か」という大前提につながる。

　学問する際には、いわば「何を研究するか」という以上に、「**なぜ研究するか**」ということの方がずっと重要である。そしてさらに言えば、その「なぜ」という疑問に答えるために、「**どのように研究するか**」ということも重要になってくる。**あらゆる学問には、方法論がなければならない。**それらは難しい言葉で言えば、比較研究とか、事例研究、資料批判研究、実証研究、理論研究などと呼ばれる。これらのひとつひとつの方法論については、それぞれの学問分野で確立したものがある。いずれにせよ初心者の諸君は、「なぜ」研究するのか、「どう」研究するのかを常に意識して研究を進めていこう。

3.

明晰かつ論理的であること
──論理を曇らせる禁じ手について

　他人に自分の研究の成果を伝えようとしても、それがきちんと伝わらなければ、結果として何の意味もなくなってしまう。他人に自分の立てた問題とそれに対する自分なりの答えを出すためのプロセスの全体を正確に伝えなければならない。それを理解してもらうために欠かせない要件とは、**全体の構成と言葉や文章が明晰であり、そして論証の道筋が論理的に展開されていること**である。論理的というのは、言葉と言葉の意味がきちんとかみ合いながら伝わっていることである。

　明晰な言語で、論理的な思考をもって行わなければならないということは、プレゼンテーション（口頭発表）にしろ、レポートや論文といった文章にしろ、学問的な成果発表にはつねに必要なことである。一見緻密に見える学問的理論、非常に説得力があると考えられる学問的理論にも、矛盾や飛躍、詭弁が含まれていることはしばしばある。

言葉を操る人間の脳は、極めて複雑にできている。多くの情報を蓄積することができるだけでなく、直接繋がらない言葉と言葉の間の意味を読み取ったり、また論理が明らかに飛躍している部分の意味を埋めて考えようとする。つまり、人間の脳は非論理的なことをも許容し、理解しようとする性質をもっている。そうしたこともあって非論理的言語活動や非合理的思考は日常生活に溢れている。

　論理とは何か、非論理とは何かということを、ここで詳しく解説することはできない。論理とは何かという問題に関しては、論理学という立派な学問分野があって、非常に奥深い研究や知識体系が構築されている。しかしこれらを全部知らなければ、論理は語れないというのではない。諸君がこれまで学んで来た常識の範囲で考えれば良い。いくつかのよくある過ちをここであげておこう。

◉ コンテキストへの依存

　日常生活ではときどき以下のような会話を耳にする。

　Ａさん：「おなか空いた？」
　Ｂさん：「うーん、私バナナ苦手なのよねぇ。」
　Ａさん：「そう。じゃ、お饅頭にする？」

　日常ごく普通にありそうな会話である。しかし、Ｂさんはさんの質問に正面から答えていない。Ａさんの問いに対しては、「はい」、「いいえ」の答えが適切であって、バナナの好き嫌いではない。しかし、Ａさんは手にバナナをもってＢさんに話しかけているということは容易に想像できる。だとすれば、Ａさんは言外にいまバナナが食べたいかどうかを問うていると言える。それに対してＢさんは、お腹は空いているがバナナは食べられないという気持を「苦手」という言葉に込めている。そして、Ａさんは饅頭を提供することになる。この会話は論理的にかみ合っていない。しかし、Ａさんの問いに現れないバナナの存在は、言外に隠されており、それは２人の共通認識となっている。このような言葉

の外にある共通認識は「**コンテキスト**」と呼ばれる。共通した文脈理解があれば、表面的な論理が成立しなくても、会話は誤解なく成り立つ。しかし、**学問的なアウトプットにおいては、このような曖昧な表現は許されない**。コンテキストに関する認識の違いが、重大な誤解を生む可能性があるからだ。

◉ はぐらかし

次のような会話はどうであろうか。

> 上司「このところずいぶん長く不在であったが、どこへ行っていたのかね。」
> 部下「ちょっといろいろあって、外出させていただきました。」
> 上司「2時間で帰ると言ったのに、6時間にもなった。いったい何があったのだ。」
> 部下「仕事のことだったら鈴木くんに頼んでいたから問題なかったはずです。」
> 上司「だいたい、君がきちんとまじめにやらないことは、皆も言っていることだぞ。」

最初の上司の「どこへ」という問いに部下は答えておらず、また「何があったのか」という問いに対する答えも見あたらない。それどころか部下は、仕事は他に頼んでいたから文句を言われる筋合いはないと開き直っている。これは、自己の都合の悪いことをごまかして言い抜けるためによく使われる「はぐらかし」である。国会答弁などを見ていると、頻繁にこのような会話が続いていることに気がつくであろう。またお店で「これ修理できますか」と言う客に対して「ただいま、新モデルのキャンペーン中で、こちらの方がお得ですよ」と言うのも、よくありそうな会話だが、実はこれもはぐらかしの一種だ。こういったことはアカデミックなプレゼンテーションや論文においては、絶対に避けなければならない。

●すり替え

　もうひとつ避けなければならないのは、すり替えの手法である。これには主に、**言葉の意味のすり替え、属する集合の全体と部分のすり替え**がある。

　言葉の意味のすり替えというのは、日常のなかでも非常に頻繁に起きており、われわれは慣れっこになっている。しかし、よく考えるとおかしいということがわかる。例えば、次のような文章を見てみよう。

　　グローバル化のなかで、豊かな人はより豊かに、貧しい人はより貧しくなっていると主張する人もいる。たしかに経済のグローバル化は貧富の差を拡大させるという結果を生んでいることは間違いない。しかし、本当の豊かさとは自然とともにある生活なのではないだろうか。

　文章の前半では、「経済的な豊かさ」ということを問題にしておきながら、後半では突然、「自然とともにある豊かさ」というまったく違う意味にすり替えている。これは、一種の詭弁である。

　また、全体と部分のすり替えに関しては、次のようなものがその典型である。「北国の人は金持ちだ。金持ちは寛大だ。ゆえに北国の人は寛大だ」。この例で言えば、そもそも、寛大だとか、金持ちとかいう基準のはっきりしない表現そのものもまずいが、もし仮にそれが厳格に定義されていたとしても、「すべての」北国の人が金持ちかどうか、「すべての」金持ちが寛大かどうか、ということを一切無視している。一部の北国の人が金持ちで、一部の金持ちが寛大だったからといって、すべての北国の人が寛大だということにはならない。つまり、論理的に言えば、この表現では部分と全体のすり替えがおきているのである。人間は、このような連想をよく行う。こうした連想は世の中の偏見や誤解の根源ともなっている。しかし、学問においては、こういう**非厳密的な全体と部分のすり替えを避けなければならない。**

● 論旨の飛躍

　文章の論理的流れが飛んでしまうことを、「論旨の飛躍」と言う。われわれも日常会話のなかでは平気で話の流れを飛ばしてしまっている。しかし、口頭発表のなかでこうした飛躍があれば指摘されるべきだし、文章を書く場合も飛躍を起こさないように首尾一貫した構成を心がける必要がある。以下に論旨が飛躍した文章の例をあげておこう。

> 　今日の教育現場ではさまざまな問題が指摘されている。その問題の多くが、指導要領の硬直化や教師の指導力不足が原因だと考えられる。真の教育改革のためには、これらの原因をひとつひとつ取り除かなければならない。教育現場での問題が起こらないようにするためにも、時代の変化に実情が柔軟に対応した施設の拡充と少人数教育を推進する現場の運動を高めていく必要があるだろう。

この文章では、はじめに「指導要領の硬直化」や「教師の指導力不足」を問題にしておきながら、後半は施設拡充や少人数教育の必要性について述べており、明らかに論理的な飛躍がある。つまり前後のつじつまが合っていないのである。論旨の飛躍は日常会話のなかではある程度許されるが、**大学での発表やレポートの言語は、厳密な言葉の定義と論理性と首尾一貫性を徹底するべきである。**

● 悪文

　複雑な文や入り組んだ文章構成は極力避けるべきである。これはもちろん、口頭発表よりも文章を書くときに当てはまるものである。後にも述べるが、口頭発表の原稿を用意するときは、黙読されるレポートや論文の文章よりもさらに簡潔で明晰な文と論理構成に努めるべきである。

　レポートや論文の文章は、それよりもやや長い文章や複雑な構成を使ってもある程度は許容される。しかし、通常３行以上にわたるような文章は、読みにくい悪文になっている可能性があるので、よく吟味しよう。

　次の文章を見ていただきたい。

プライバシーの概念はもともと 19 世紀に確立された、後の 20 世紀の個人情報の自己管理の考え方とは異なる法的概念で、公共の利益が個人の利益に優先することを否定しないものであったのに対し、20 世紀の個人情報管理と保護の考え方が発展して最近では不可侵の私的領域の存在の確認とその領域の事項の関与の一定の権利と考えられるようになっている。

　この文章は、プライバシーの概念の変化について述べたものであるが、非常に長い悪文の例である。まず第 1 の問題は、19 世紀、20 世紀、最近という 3 つの時系列が入れ子になってしまってわかりにくくなっている。第 2 に助詞「の」が多用されていてその構造がわかりにくい。

　論理的構造を明らかにするには、物事の変化をきちんと順序立てて述べた方が良い。英語であればある名詞を、形容詞や分詞を使って左から修飾し、かつ助詞や関係代名詞を使って右から修飾するということを同時に行うことができる。しかし、日本語では名詞を左から（縦書きの場合は上から）しか修飾することができない。そのため、「の」とか「おける」とかいった表現で名詞を連結して論理的構造をつくるには限界がある。「の」がいくつも続いてしまうようなときは、その一部を動詞化して文章を書き、論理構造をつくり直すと良いだろう。上記の悪文の例を改善した例を下記に示す。

　もともと 19 世紀に確立されたプライバシーという法的概念は、公共の利益が個人の利益に優先することを否定しないものであった。ところが 20 世紀になると、プライバシーの概念は、個人情報が自己管理できること、という意味に変わっていった。その後、この個人情報管理と保護の考え方がさらに発展して、最近ではプライバシーとは、不可侵の私的領域が存在することを確認し、その領域の事項に対して関与する一定の権利である、と考えられるようになっている。

デジタル情報技術とアカデミック・スキルズについて

● コンピュータを使ったスキルズ一般について

近年ではコンピュータやインターネットを使っての学問的作業は、知的作業のスキルズとして非常に大きな比重を占めるようになっている。

大学の学習における初期段階で、少なくとも身につけておくべきスキルズには以下のものがある。

文書作成
　・文書作成ソフト（マイクロソフト Word など）の使い方
　・表計算ソフト(エクセルなど)やデータ・ベース・ソフトの使い方
プレゼンテーション補助
　・プレゼンテーション文書（パワーポイントなど）のつくり方
文書公開・交換
　・ウェブ文書の作成・公開
　・SNS などを利用した情報交流

コンピュータに関するスキルズは非常に複雑で、文字入力から高度なプログラミングに至るまでさまざまなレベルのものが存在している。また技術革新のスピードも非常に早い。そのため、本書ではこれらについて詳細に述べることはできない。コンピュータを用いたスキルズに関しては、各自で日々レベルを上げていってほしい。これらを学ぶ際にはとりわけ、ウェブ上に公開された情報を活用すると良い。ウェブ上には初心者レベルから高度な技術に関するまで、多くの指南書が無料で公開されている。また、クラスやセミナーのメンバー同士で教え合うのも良いだろう。

● パソコンが壊れる恐怖、ファイルが消える恐怖

　パソコンやプリンタは、発表の前日、もしくは論文の提出の 1 週間前に壊れる。これは、残念ながら本稿の筆者の経験から真実のようである。「パソコンが壊れたから、発表ができません」という言い訳をよく聞くが、本稿の筆者はそれを信じることにしている。しかし、すべての教師がそれを受け入れるわけではない。レポートや発表が間に合わなかったことに対するその場しのぎの言い訳にすぎないと思われるかもしれない。パソコンが壊れたというのは、たとえそれが事実だと証明できたとしても、締切りが設定されたレポートや論文では、決して提出遅延の理由として認められない。そのおかげで進級や卒業が、半年ないし 1 年遅れたとしても、それはパソコン・メーカーの責任ではなく、本人の責任である。

　また、自身の操作ミスでファイルを消してしまったり、ちょっとしたソフトウェアのエラーでファイルが壊れたり、開けなくなることは、パソコンの故障よりももっと頻繁に起きる。

　これらの恐怖に対する対策としては、いくつかある。

①早め早めに論文や発表を仕上げておく
②バックアップを必ず取る
　（同じパソコンだけではなく、USB メモリやクラウドなどにも保存する）
③友人と仲良くしておき、いざとなったらパソコンやプリンタを使わせてもらえるようにしておく
④提出間際になったら、とりあえずできあがった稿をプリント・アウトしておく

　バックアップは、頻繁に行う必要がある。少なくとも、作業の切れ目切れ目で 1 日に数回は、バックアップを更新しよう。複数のファイルをつくると、しばしばどれが最新のものかわからなくなることがある。複数のファイルに別々の修正を入れると、どちらのファイルでどこを変えたかわからなくなり、その修正を統合するには莫大な時間がかかる。**オ**

リジナルとコピーとをはっきりさせ、必ずオリジナルを修正する。

　Dropbox® や Google ドキュメントといったインターネット上の文書保存サービスを利用するという方法もある。ただし、これらを利用する場合、セキュリティーやプライバシーに関してよく理解しておく必要がある。

　パソコンが必ず壊れるというのは、やや誇張ではあるが、ある一定の割合の人間が必ずこの不幸に襲われ、しかもそれは（実際にデータを取ったわけではないが）、交通事故に遭う確率よりもかなり高いようである。パソコンはいつなんどき壊れるかもしれないことを、つねに意識して行動するに越したことはない。

● ウェブ文書の作成・公開

　「第 3 章　情報収集の基礎」で、ウェブ上の情報を得る方法についてある程度述べた。

　インターネットを使えば、今度は自分の研究結果を自ら世界中に公開することも可能である。ウェブ上の文書の多くは、html（HyperText Markup Language）や xhtml（Extensible HyperText Markup Language）といったプログラミング言語で書かれている。これらは、ウェブ文書のデザインやリンクなどに関する情報を、テキスト形式の文書 [2] のなかに組み込んだ一種のプログラミング言語である。このプログラミング言語の基本原理が理解できていることが望ましいが、複雑なことを手軽にできるようにした WordPress などのサービスも存在するので利用すると良い [3]。サーバ上での公開方法に関しては、サーバ管理者がそれぞれ情報を提供している。

● ウェブの世界は密室ではない

　インターネットの世界は、現在も急拡大を続けており、扱う情報量も莫大になっている。サイバーの世界には、事実上国境がない。あらゆる人と人がつながり交流できるし、学問の世界でもインターネットから得

2）文字データだけで構成された形式の文書。
3）もっとも、より高度で複雑な文書を作成しようとすると、この種の補助ソフトには限界がある。また、これらのソフト自体も互換性などについて十分考慮されていないことが多いので、究極的には自分でタグを書けるようになるに越したことはない。

る恩恵は計り知れない。Twitter や Facebook で、勉学上や研究上の情報交換をする機会も非常に多くなってきた。

　しかし、どんなすばらしい道具も、使い方によっては人を傷つけるなど、悪いことに使うことはいくらでもできる。インターネットの世界は一方で、その性質から一種の無法地帯をも生んでいる。インターネットの世界はすべての人に開かれた「公の」世界であり、実社会で行ってはならないことは、インターネットの世界でも行ってはならない。通常の生活で言ってはならないことは、インターネットの世界でも書いてはならない。

　インターネット上の情報は、「検索ロボット」という自動制御された多数のコンピュータにより日夜休みなく無差別に集められ、ストックされている。部屋のなかでつぶやいた独り言とは異なり、ネット上に発された言葉は世界のどこかで永遠に貯められており、それを過去に遡って検索することも可能である [4]。

　もうひとつ、見落としてはならないのは、インターネット上の著作権の問題である。他人の作成した文章や、音データや画像データなどを含むあらゆる著作物を許可なく複製したり、加工したりしてインターネット上で公開してはならない。過度に神経質になる必要はないが、自分の研究成果をインターネットで公表する場合は、それがもたらす影響や効果に関し、想像力を働かせてよく吟味をしてから行おう。

---

[4] 例えばアメリカの「インターネット・アーカイブ」というサイト（http://www.archive.org/）は、多量の過去のインターネット情報をストックしている。

☞ **テスト**

1. 自分の研究テーマについて、研究テーマの三箇条に照らし合わせて、可能なテーマかどうか検討しなさい。

2. 学問における「オリジナリティ」とは何か、自分の言葉で短く説明しなさい。

3. 以下の言葉を説明しなさい。

   ・命題（テーゼ）
   ・仮説
   ・反証可能性
   ・論旨の飛躍
   ・メタファー
   ・悪文

📖 **アカスキ・シリーズでもっと学ぼう！**

・さまざまな論理構造について

　　→『クリティカル・リーディング入門』81〜115頁

・学問的「問い」を発展させる

　　→『クリティカル・リーディング入門』135〜174頁

第 7 章

プレゼンテーション（口頭発表）のやり方

1.

プレゼンテーション（口頭発表）について

● プレゼンテーションはコミュニケーションである

初級のセミナーなどでは、あらかじめテーマが与えられ、それについてまず口頭発表を行い、学期の終わりにレポートのかたちにまとめて提出する、というのが一般的であろう。そこで、ここではまずプレゼンテーション（口頭発表）のやり方についての一般的な事項について述べ、その後レポートのまとめ方について説明することにする。

まずはじめに覚えておかなければならない大切なことは、**プレゼンテーションは一方的な意見の伝達ではなく、インタラクティヴ（双方向的）なコミュニケーションである**ということである。発表者は複数の人を相手にして一方的に報告し意見を述べるわけだが、相手が言っていることを理解しているのか、どのように反応しているのかということにつねに気を配ろう。場合によっては、相手の反応を見ながら説明を加えたり、臨機応変に対応することも必要となる。

口頭発表のあとには、質問の時間が設けられるのが普通である。それは、話者の報告が客観的で普遍的かを試す機会にもなる。質問者は、発表者の論理の弱いところを指摘して、対話のなかで論を補強していく。

このインタラクティヴなアウトプットの形式は、先に述べた自らの視点を見つける準備作業となる。大学の初級セミナーでは、一定の資料に基づいてその内容をよく読んで紹介しながら発表するという課題がよく与えられる。ここでは、その内容を的確に理解したかが試されるわけであるが、それと同時に重要なのはその内容を「批判的に」読むことができたか、ということでもある。

● セミナー発表の一般的な流れ

　実際には、発表のやり方はさまざまであるが、ここでは、ごく一般的なセミナー発表の流れの例を示しておく。この構成とここで説明する内容は、あとで仕上げることになるファイナル・レポートについても同じことが当てはまる。セミナー発表でこれくらいのきっちりとした構成をつくることができていれば、あとでその結果をレポートとしてまとめるときも作業が非常に容易になるし、セミナーでのディスカッションを通じてファイナル・レポートの質を向上させることにもつながるだろう。

　セミナー発表の一般的流れ（あるいはレポートの一般的構成）は以下の通りである。

　①主題・目的・命題の提示
　②資料やデータを要約して紹介
　③資料やデータについて分析
　④命題の論証
　⑤全体のまとめ

　セミナー発表には、一般的にふたつのパターンがある。毎回のセミナーのなかで行われる、与えられた課題に関する発表と、ファイナル・レポートを仕上げた後（またはその直前）に行われる発表とである。セミナーの課題発表では、通常上記の②、③の部分、すなわち資料やデータの紹介とその分析が中心となるだろう。④の部分は主にファイナル・レポートの発表で求められる。

　セミナーの課題発表では通常、資料調査や資料内容に関する報告と、それらの問題点の発見とその調査の報告が中心となり、ファイナル・レポートやその発表では、最終的に自分が得た結論を論証するプロセスにより重点が置かれる。独自の仮説をうち立てるというのは、実際にはその分野の知識を総合的に把握してからでないと無理であるから、初めのうちは資料の読解と分析に重点が置かれるであろう。しかし、どんな課題が課せられていても、自分の視点で見つめ独自の新たな問題を見いだ

そうとする姿勢はつねに持ち続けていなければならない。

①主題・目的・命題の提示

　第1の「主題・目的の提示」では、何について発表するのか、何を問題にしようとしているのか、この発表の目的が何であるかについて述べる。続いて、発表の全体の流れを説明する。その上で、何が明らかになるのか、最終的にどのような結論に至るのかを述べる。すなわち、論文のなかで示そうとする命題（テーゼ、あるいは英語で thesis statement）を示しておく。この時点では、その命題はまだ証明されていないので、「仮説」である。厳密に言えば、それは証明されてはじめて命題となる。発表が何をどのようにして論証しようとしているか、まず聴き手に印象づけることをここでは行う。

②資料やデータの要約・紹介

　第2の「資料やデータの要約・紹介」は、初級のセミナーでもっとも重視される基礎訓練の部分である。資料やデータの正確で的確な読解・解釈なしには、どんな学問的主張も成り立たないからである。ここでは、文書資料の場合、その論旨と主張の核心を的確に把握して、それをコンパクトにまとめて聴き手に伝える。

　資料の要約や紹介の仕方については、第4章の「3. クリティカル・リーディング（批判的読解）とその練習」（82〜94頁）に詳しく説明したので、そこをもう一度よく読んでみてほしい。

③資料やデータについての分析、複数の資料の比較

　資料やデータについての分析や複数の資料の比較は、ややレベルの高い課題である。セミナーのやり方や主題によっては、最初の発表でここまで求められない場合もあるだろうが、ファイナル・レポートに向けた準備としては不可欠となる。

　分析や比較の方法は、扱う資料やデータの種類、研究の目的によってさまざまである。一般的には、同じ主題を扱った複数の文献を比較する

といったことが行われることが多いだろう。その場合、それぞれの文献資料が示す命題をきちんと読み取っていることが前提となる。そして違いは何か、どのような論証過程でそのような違いに至ったのかを分析してみると良い。この作業を行うと、何か自分なりの視点というものが見えてくるはずである。また、②の「資料データの要約・紹介」部分で既存研究の問題点を指摘しておき、さまざまなクライテリア（規準や条件）や項目に分けて、独自の調査や分析をここで展開することも可能である。この手続きを通じて、最終的に問題の発見と解決を目指す。

④命題の論証

　ここで、いよいよプレゼンテーションは核心部分に至る。これは①で示した問いに対する答えの部分に当たる。③までに行った解釈や分析を材料として、最終的に何が言いたかったかを明示し、それを論理的かつ実証的に裏付ける作業がここで行われる。

　ここにこそ、上記で述べたオリジナリティが要求される。そしてこの部分がレポートや論文の最重要部分であり、発表でも、レポートでも、この部分がもっとも充実していることが望ましい。しかし、ここで何か新しい奇抜な結論を導き出す必要はない。これまでの学問的業績をきちんと理解し、自分なりに把握して論じることができ、そこに単なる個人的・主観的な感想以上の自分自身の視点が示されれば十分である。

⑤全体のまとめ

　最後の「全体のまとめ」では、これまで述べたことを短く要約し、もう一度結論を述べる。その際、今回の研究で明らかにはならなかったことや、今後の課題についても触れると良い。

　以上述べた流れは、ごく一般的な例であって、扱う題材や個々の課題に取り組む者の経験やレベルによって、さまざまなアレンジの仕方がある。例えば、②と③が並行して行われたり、あるいは③と④が同時に論じられたり、ということもあり得る。

◉ 発表原稿をつくるか、メモだけで行うか

　一般的にプレゼンテーションを行うには、完全な発表原稿をつくっておく方法と、箇条書きのメモだけでやる方法とがある。

　発表原稿をつくると、所要時間が確定できるというメリットがある。また、言いたいことをきちんと時間内で言うことができる。とくに発表時間が短いときなどは、一定時間を効果的に使うためにも、完全原稿を書いておくことが勧められる。

　しかし、原稿を棒読みする発表は、一般にわかりにくい。その原因は、文章を読んで一定時間内に語られる情報量と、普通に話すときに語られる情報量とでは、前者の方が通常多いため、原稿を読むと聴き手が消化不良を起こしてしまうことが間々あるからである。端的に言えば、**読むスピードと人が聞いて理解できるスピードにはかなり開きがある**ということである。

　完全原稿をつくる場合は、黙読されることを前提とした原稿よりも、個々の文はなるべく短くし、平易な表現で話してもわかりやすいように準備しておき、かつときどき自分の言葉で説明を加える余地を残しておくべきである。

　読むのに理想的な字数は、1分間に280字程度だろう。普通に理解できる速度は300字／分くらいである。かなり早口になると400字／分は読めるが、これでは何を言っているかわからないことになる。なるべく理解しないように相手を煙に巻いてしまえという作戦のときは、字数を多くして早口でまくし立てれば良い。しかし、そうした発表が良い評価を受けることができるかどうか、答えは明らかであろう。

　どんな良い研究も、プレゼンテーションのやり方次第で光りもすれば霞みもする。**しっかりした内容の研究をわかりやすく相手に伝え、相手を納得させてこそ、研究は評価に値するものとなる。**逆に、プレゼンテーションをどんなに美しく仕上げても、研究そのものに内容がなければすぐに化けの皮が剥がされる。

● パフォーマンス

　人前で話す、しかも公式の場で話すのは、なかなか緊張することである。しかし、照れを隠しながら、パソコンや原稿に目を落としたまま、小さな声で、ぼそぼそと、語尾を上げながら話す話し方は、発表内容がわかりにくいだけでなく、良い印象をもたれない。

　背筋を伸ばし、体の向きは真っ直ぐ聴き手の方へ向け、全体を見渡しつつ聴き手の目をときどき見ながら話をする。強調点があるときには、身振りを使ったりパワーポイントの画面を指さしたりという動作で示すことも重要である。また、声は大きくお腹から出し、はっきりとした言葉、発語を心がけるべきである。

　途中で聴き手の反応を見ることも大切だ。場合によっては、聴き手に問いかけてみたり、反応として手をあげてもらったりするのも効果的である。

　レジュメを配るときは、「レジュメは行き渡っていますでしょうか」と尋ねる心配りをしよう。また、そのときどきでレジュメや図表のどの部分を使っているか、「レジュメ○○ページの、図○をご覧ください」と示すようにしよう。

　話し方や発表の仕方には、人によってさまざまなスタイルがあるので一概には言えないが、他人の発表の仕方をよく観察し、どのような発表がわかりやすかったか、わかりにくかったかを覚えておいて、自分が発表するときの参考にすると良い。

● ディスカッション

　口頭発表の醍醐味は、発表後のディスカッションにある。質問者は、疑問点などを発表者に問いかけ、資料の読み方、解釈、論証の仕方について、良かった点や、問題だと思われる点などを指摘して、発表者の見解を問う。また、わからなかった点に関して、追加の情報や説明を求めても良い。自分の知識や考え方と照合して、発表者の主張に妥当性があるか、課題は何かなどを積極的に発言することにより、セミナーは活気あるものとなる。

質問の際にも重要なのは、第4章の2.（81頁）、および第6章の2.（121 〜 127頁）で述べた「批判的」評価の態度である。繰り返しになるが、ここで言う「批判」というのは、あら探しという意味ではない。客観的に公正に評価するという意味である。発表後のディスカッションは、ディベートの場合と異なり、あらかじめ用意された正反対の意見を述べて戦いを挑むわけではない。発表後のディスカッションは、最終結論の是認に落ち着いてもまったくかまわない。ディスカッションは、自分が発表した内容が、異なる視点から見るとどのように理解されるかを知る試金石になる。

　質問に答える場合は、真正面から答える。はぐらかしや意味のすり替えを行ってはならない（129 〜 130頁参照）。返答は、その質問に対して、直接の答えとなる事項をまず最初に述べ、必要に応じて周縁情報を加えたり、理由を説明するのが良い。イエスともノーともどちらとも言えないという場合もあるし、質問自体が不適切な場合もある。しかし、その場合もまずそのことをストレートに言ってから、理由を述べるのが良い[1]。

　ディスカッションでのやりとりや指摘は、ファイナル・レポートを作成する際に、大いに参考になるだろう。

2. プレゼンテーションのツール

● パワーポイント

　近年、プレゼンテーションのツールとしては、パワーポイントのスライドショーが標準的となってきた。そのメリットとしては、発表全体の

1）教師と学生間でも、学生同士の場合でも、セミナーでの反論によって自分が否定されたと勘違いして、落ち込む場合がある。そのことを避けるあまり、相手を傷つけないように、不適切な問いを放置したり、根本的認識の誤りを指摘しないなどという態度は、つねに真理を追究しようとする学問の場面には相応しくない。また逆に、学問上の論争を装って相手の人格を傷つけるなどという態度も、質問者は教師であっても厳に慎むべきである。

アウトラインがはっきりすることがあげられる。またキーワードをその場その場で聴き手に印象づけることもできる。

　また、パワーポイントには、カラーの図表、音声、動画を取り込むことができる。そして、アニメーション機能によって、文字や画像を動的に見せることもできる。よく作られたパワーポイントによって、プレゼンテーションを効果的に見せることができるので、積極的に活用したい。それらの機能を駆使するには、練習と経験が必要なので、在学中に技術を身につけておこう。

　パワーポイントを使う際の難しい点は、話のスピードと、視覚に訴える情報の流れのスピード、および聴き手の理解のスピードをうまく合わせることである。パワーポイントの情報は過多になりがちで、たくさん資料は出しているが、実際に映されている時間では全部は読めないとか、聴き手がメモを取ろうとするとまったく追いつけないとかいうことになりがちである。そうなると聴き手はいらいらするし、きちんと内容を理解してはもらえない。短い時間に多くの情報が次々と流されていくと、発表の焦点が定まらず、かえってわかりにくくなる。

　また、文字の大きさや配置をよく工夫することも大切だ。あまり細かい字の図表などにはパワーポイントは向いていない。理想的には、発表原稿と照らし合わせて、各スライドを出すタイミングをあらかじめ決めておくと良い。

●レジュメ（ハンドアウト）

　発表をわかりやすくするために、要約やアウトライン、およびキーワードを記したものを配布することは、つねに勧められる。英語圏では配るものという意味で「ハンドアウト」と呼ばれている。レジュメとは要約という意味であるが、レジュメの役割はふたつある。ひとつは、発表を要約して箇条書きで示し、全体の流れをわかりやすくすることである。もうひとつは、口頭ではわかりにくいものを目で見てわかりやすく示すということである。

　レジュメでは発表の流れに沿って、全体のアウトラインを示し、発表

内容の要約を短文で記す。これによって、聴き手に現在全体の論旨のどの部分について述べているかをわかりやすく示すことができる。

　口頭ではわかりにくい内容を視覚的にわかりやすくするために、レジュメには図表や資料、グラフなどを挿入することもできる。発表のなかで再三言及されるようなデータや資料、図などは、パワーポイントで写すよりも配布をした方が良い。聴き手がそれらをじっくりと見ることができるからである。

　図や資料には図1、図2、資料3、資料4と番号を打つなどして、口頭発表のときに「図1をご覧ください」と言えば、聴き手がすぐに参照できるように工夫しておくと良い。また、特殊な用語（とくに普段使わない専門用語や人名など）とその解説も、レジュメに付加しておくと良い。参考文献や引用文献などの書誌データを掲載することも推奨される。

　レジュメはあくまでも要約であって、発表時間に収まりきらない内容をレジュメに含めようとしてはならない。また程度にもよるが、発表では直接触れない資料を、レジュメに大量に添付しない方が良い。レジュメに掲載されているのに、口頭発表では触れられないとか、いまレジュメのどこについて話しているのかわからないと、聴き手にフラストレーションが溜まり、悪い印象を与えてしまう。

●その他——黒板、映像資料、音響資料

　わかりにくい言葉の解説や、説明の途中である言葉がわかりにくいという反応を感じたときには、黒板（白板）を使うと良い。もっとも数学の証明のように、分野によっては現在も板書は重要な手段である。

　音楽や映画の話をするときなどは、映像・音響資料を使うこともあるだろう。これらを効果的に使うと発表の流れにメリハリをつけることができる。

　場合によっては、大型のパネルや紙、掛け図などを使うこともあるだろう。そのときどきの環境や発表に応じて発表の手段を臨機応変に工夫しよう。

③ その他の大切なこと

◉ 制限時間を守る

　経験ある研究者の集まる学会でも、しばしば終了警告ベルを鳴らされても、「時間がなくなってしまいましたが」などと言いつつ発表を続ける見苦しい光景を目にする。このような発表はとても印象が悪い。与えられた時間内に発表を収めることは重要である。発表の準備を始めるときは、20分も何を話せばいいだろうか、と考えるかもしれない。しかし、発表時間は長くなっても、短くなることはまったくと言っていいほどない。時間内にきちんと内容が収まるように、発表全体の流れに沿って時間をあらかじめ計算しておくべきである。

◉ 短い発表ほど難しい

　逆説的に聞こえるかもしれないが、1時間の発表をするのと、5分の発表をするのとでは、5分の発表をする方が準備に時間がかかる。時間が短ければ短いほど、短時間に説得力をもって言える内容と言葉を、あらかじめ精査、整理しておかなければならないからだ。筆者の経験から言えば、発表材料が完全にそろっており、かつある程度の経験があるという条件のもとでは、5ないし10分と定められた発表には、完全原稿か、それに近いものを用意しなければならず、それを時間を正確に計って練習する必要もあるので、ほぼ丸一日の準備が必要である。1時間という長い発表時間であれば、ある程度その場のアドリブも可能なので、流れの確認と情報整理ができていれば、準備時間はもっと短くて済む。

◉ 情報量を理解可能で適切な範囲に収める

　内容は時間に見合ってきちんと精査しておくべきである。また、先の

「制限時間を守る」で述べたように時間内に話しきれないからといってパワーポイントやレジュメに情報を盛り込みすぎるのは良くない。

◉ あらかじめ声を出して練習しよう

　発表を事前に実際に声を出して練習してみることは、とても有効である。もし、それを聴いてくれる人がいたら、ぜひ立ち会ってもらうと良い。友人でも家族でも、発表の内容について必ずしも詳しい人でなくても良い。かえって詳しくない人の方が、発表内容を理解できるかどうか、率直な意見がもらえるだろう。このように実際に、人に向かって話し、後で感想を言ってもらうことは、実際の発表に必ず役に立つ。

◉ 資料の準備と機器のチェック

　配布資料は時間的に余裕をもって用意しよう。発表時間の直前に準備しようとして、コピー機の前に行列ができているとか、機械が故障してコピーできないことなどもあり得る。

　機器のチェックは、必ず事前に行おう。パソコンとプロジェクターの接続チェック、投影のチェック、音声がきちんと出るか、音量はどうか、動画がきちんと投映されるか、明るさはどうか、これらは発表の前にすべて確認しておこう。

◉ よくある最悪の失敗——時間に遅れる、発表の日に現れない

　これは誇張でも何でもなく、頻繁に目にする光景である。全体のスケジュールが狂うし、教師だけではなく、みんなに迷惑がかかる。病気や交通機関の遅延など不可抗力の場合もあるだろうが、発表のときは万が一のことを見越して行動するべきである。

☞ テスト

プレゼンテーションにおいて留意すべきことを正しく述べているものに○、誤りであるものに×をつけなさい。

a. プレゼンテーションは一方的なものであり自己主張の場である。
b. プレゼンテーションはコミュニケーションである。
c. プレゼンテーションでは、自信のない部分は小声でさっと済ませる方が良い。
d. プレゼンテーションは、聞き手の反応をよく見ながら、しっかり前を向いて行う。
e. プレゼンテーションでは、多少の遅刻、制限時間の超過は許される。
f. パワーポイントやレジュメは詳しければ、詳しいほど良い。
g. プレゼンテーションの日は、早めに来て機器のチェックを行うべきである。
h. 発表の日は、早めの電車で大学に向かう方が良い。
i. 発表時間が長ければ長いほど、準備には時間がかかる。
j. ディスカッションで弱点を突かれないためには、発表を長めにすると良い。

📖 アカスキ・シリーズでもっと学ぼう！

・データの効果的な提示方法
　　→ 『**実地調査入門**』83 ～ 108 頁

・パワーポイントの効果的な使い方
　　→ 『**実地調査入門**』109 ～ 121 頁

第8章

論文・レポートをまとめる

論文・レポートを書くとは

　テーマを考え、本を読み、アイディアをまとめる作業の終着点には、いよいよそれらを論文やレポートのかたちでまとめる作業が待っている。それは、長く苦しい道のりであるが、それが乗り越えられたとき、大きく知的に成長している自分に気がつくだろう。道半ばにしてそこまで行き着かなかった学生、本来の論文作法を学ぶことなく、場当たり的なレポート提出を繰り返してきた多くの他の学生とは、まったく違う人間に変わっていることだろう。

　論文を書く技術は、大学において学ぶ技術としては一番重要なものである。しかも、この技術はとても奥が深い。

　学問的文章の書き方のルールは複雑で、学問分野によってさまざまであるが、ここでは、あらゆる分野において共通するであろう基本的なルールのうち、初級セミナーでファイナル・レポートを書く際に、学ぶべき重要な事項について述べることにしよう。なお、本書はどこから読みはじめても良いと「はじめに」に書いたが、この章は、少なくともまず第6章の「2.学問的問いとは何か」（121～127頁）を読んでから、読みすすめてほしい。

● 基本構成——問題設定とその答えが明確であること

　レポートの基本的構成は、「セミナー発表の一般的な流れ」（141～143頁）で説明した流れと同じである。すなわち、①主題・目的・命題の提示、②資料やデータを要約して紹介、③資料やデータについて分析、④命題の論証、⑤全体のまとめ、という流れである。もちろん、論文やレポートの構成には研究テーマによっていろいろなヴァリエーションがある。

　セミナーの中間に行われる口頭発表では、②と③の部分が中心になる

こともあるだろうが、ファイナル・レポートでは、④の部分、すなわち一連の研究の作業を通じて行き着いた結論こそが、明確になっている必要がある。上記とまったく同じ構成を必ず取る必要があるというわけではないが、ファイナル・レポートには、勉強の成果と自分なりの理解と問題の発見、その問題の解決の試みというものが明確に見えていなければならない。

　学問的成果は、つねに問題の設定と仮の答え（仮説）の設定、論証という流れで進むわけであるが、書いている途中で仮説が誤っていることが明らかになることもある。また、問題設定そのものに誤りがあるということが、書きながら明らかになることすらある。そうなると、逆戻りしなければならないと思われることもこともあるだろう。しかし、それは**逆戻りではなく、確実な前進**なのである。**どのような研究も、つねに真っ直ぐに進むわけではなく、行きつ戻りつしながら螺旋的に進んでいくものなのだ。**

　いずれにしても大切なのは、**問題設定がはっきりしており、それに対する答え、つまり命題が明確に記されている**ということである。

頭から書き始める必要はない

　そういうわけであるから、論文を書くときは必ずしも上記の①の部分から順番に書き進めていく必要はない。**いま書けると思うところから、とにかく書いていけば良い。**①をとりあえず箇条書きにしておき、先に②、③に相当する部分を書いてしまうという方法もある。ただし「①主題・目的・命題の提示」と、「④命題の論証」の部分および「⑤全体のまとめ」は必ず対応している必要があるから、④を書き終わったらもう一度①と照らし合わせよう。④では①で書いた問題設定や目的を要約して、読者に思い起こしてもらい、論述に進む。⑤では全体の構成をもう一度概観して、最終的に何が明らかになったのかを書く。

　卒業論文のように、より規模の大きい論文を書くときは、とにかく書ける章から書いていくという原則は、締切までにまとまった成果をあげるためにはなおさら重要である。

◉ 誰が、誰に対して書くのか

　学問的文章には、通常「私」という言葉は使わない。これは、論文というものが真実を客観的に明らかにするものであり、「私」の個人的意見を書くものではない、という伝統的見解に起因する。そのために、「われわれ」と言うか、もしくはどうしても「私」と、言わなければならないところではその代わりに「筆者」という言葉を使う（英語ではⅠの代わりである the author を使う）。例えば、「われわれは以上の前提に立って、この問題をさらに詳しく考察していくことにしよう」とか、「この事実は、筆者の実地調査によって明らかになった」という書き方をする。もっとも近年では、平たく「私」を主語として書いた論文もある。しかし、その場合でも「私」個人の感想を述べようとしているのではなく、知られざる事実を明かそうとする人々を代表する自分が「私」なのだ、ということは忘れてはならない。

　セミナーのレポートは、しょせん自分のために書くのであって、しかも読むのもせいぜい教師くらいなのではないか。だとしたら、自分が勉強した内容を教師に向けて書くのでもいいのではないか、と思うかもしれない。また、レポートは勉強した内容を「報告」すれば良いのであって、論文と違ってそこで独自の説を展開する必要などはない、と考える向きもあるかもしれない。

　しかし、レポートであれ、論文であれ、クリティカル・レビューであれ、大学で課せられる文章を書く目的は、**自分で考え、批判的に判断し、その内容の妥当性を論理的に示すための訓練をすること**である。もちろん初学者が大胆な学説をうち立てる必要はない。しかし、そこには少なくとも自分で考え判断して結論を得た、という軌跡を残さなければならない。

　以上に述べたような意味からも、レポートは教師に向かって書くのではない。理念的には「すべての人々」に向かって書くのである。だからといって、架空の読者に向かって独り言を言うような書き方になってはならない。いま「理念的にはすべての人々に」と書いたが、実際にはあらゆる文章では一定の読者が想定されている。実際に読む人にわかりや

すいように、言葉を選びながら、必要に応じて解説をすることは歓迎される。レポートは、理念的には全人類に向けて、そして実際的には自分のクラスメートぐらいの知識レベルに合わせて書くのが良いだろう。

● 三大原則

レポートを仕上げる際に、注意する3つのもっとも大切な事項をあげておこう。

①終始自分の言葉で語り、資料からの情報は出典を明らかにする
②論理的に語り、命題（テーゼ）を明白にする
③書式はきちんと統一する

裏返せば、人の言葉を借りてきて出典を明らかにしていない、命題が明白でない（つまり結論がない）、書式が統一されていない、というのは悪いレポートである。

①終始自分の言葉で語り、資料からの情報は出典を明らかにする

高校までの自由研究のようなものであれば、何かの説明文をつくるといった目的で、事典やその他の複数の資料をまとめながら文章を合成し、利用した資料を最後にまとめて「参考文献」として掲載するのでも良いかもしれない。しかし、大学のレポートは参考文献をつけるだけではまったく不十分だ。大学ではあるテーマについて自らの視点で論じるということが主要な課題であるゆえに、人の文章をそのまま写したり合成したりするだけでは、レポートとは言えない。学問的な文章は誰か他の人が言っていることをオウム返しにするのではく、終始自分の言葉で語っていなければならない。ましてや、他人の文章やインターネットの文章を、出典も明らかにせずに丸写しにするなどという行為は、論外である。

どの部分が他人の書いたものであり、どの部分が自分自身によるものかは区別して書かなければならない。また、他人の研究データを借用し

たり、他者の文章を参照したりするとき、または引用したりする場合は、必ず脚注などを使ってその出典を明らかにする。

ただし、広く知られ疑う余地のない事実に関しては、それについていちいち注をつける必要はないこともある。一般に辞書や事典に書いてある常識には、注をつける必要はないだろう。もっとも、事典の項目の著者がオリジナルなことを言っていると思われる場合は、その出典を明らかにするべきである。その際、その項目の著者がわかる場合は、「○○事典によれば」などといわずに、著者名を記す。

要は、文章のなかで、**どこが自分自身の見解や発見であり、どこが他者の見解であり、どこが一般的な知識であるかを区別しながら書く**、ということである。

参照や引用の仕方、およびその表記方法については、「他者の文献の参照および引用の仕方」（160頁）、および「注の付け方」（163頁）で詳しく説明する。

②論理的に語り、命題（テーゼ）を明らかにする

学問的文章が、一定のテーマについて問題を設定して、その答えを論理的に提示するためのものであることは、本書が繰り返し示そうとしているところである。つまりレポートの最後では、何かが明らかになっていなければならない。設定された問いに対し答えが示されていなければならないということだ。したがって、**問題設定の部分と結論の部分**が、レポートでは一番大切である。この部分は、1段落程度に収めるのではなく、ある程度の記述量がなければならない。

しかし、**命題はどうすれば見いだすことができるか、という問いに一様な答えはない**。試行錯誤をしながら、その答えを探し続けるしかない。

③書式はきちんと統一する

学問的な文章において、**書式の統一は不可欠**である。書式の整っていない論文は、その信頼度に対する印象を著しく損なうことになる。論文やレポートを作成する場合は、書式に細心の注意を払わなければならな

い。

　もっとも、論文の書式は国によって、また専門分野によってさまざまなスタイルがある。またそれらのルールは非常に複雑である。英語圏の論文書式マニュアルには、代表的なものとして『シカゴ・マニュアル』[1)]、MLA[2)]、APA[3)] と呼ばれるものがある。いずれも多くの専門家により年月をかけて作られてきたものであるが、これらでさえすべての資料の書式ルールを網羅できていないという批判があるほどである。しかし、ひとつのレポートや論文のなかでは、一定の書式が首尾一貫して使われていなければならない。

　一番大切な原則をここに記しておく。

ルール1：誤字脱字がない
　　　（そのためには最終的に第三者に読んでチェックしてもらうのが良い）
ルール2：用字用語が統一されている
ルール3：参考文献や引用文献表記における書式が首尾一貫している
　　　（句点（。）、読点（、）やスペースの使い方などにはとくに注意する）

　書式の原則は、巻末の「附録　書式の手引き」（167 〜 185 頁）にまとめておいたので、これを注意深く参照しながら、レポートや論文を作成していってほしい。

1）Chicago Manual of Style Online (Retrieved August 9, 2019, https://www.chicagomanualofstyle.org). 下記図書も参照のこと。ケイト・L・トゥラビアン『シカゴ・スタイル研究論文執筆マニュアル』, 沼口隆, 沼口好雄訳（東京：慶應義塾大学出版会, 2012）.
2）米国現代語学文学協会（Modern Language Association）によるスタイル・マニュアル。*MLA Handbook*, 8th edition (New York: Modern Language Association of America, 2016). 邦訳は The Modern Language Association of America『MLA ハンドブック』（第 8 版）, フォースター紀子, トーマス・マーティン訳（東京：秀和システム, 2017）.
3）アメリカ心理学会によるスタイル・ガイド。*Publication Manual of the American Psychological Association*, 6th edition (Washington D. C. : American Psychological Association, 2010). 邦訳は American Psychological Association『APA 論文作成マニュアル』（第 2 版）, 前田樹海他訳（東京：医学書院, 2011）.

2.

引用の仕方、注の付け方

● 他者の文献の参照および引用の仕方

　自分自身の言葉でオリジナルな論述をしなければならないとは言っても、先人の研究を参考にしないで書くことは絶対に不可能である。先人の研究を利用する場合にはふたつの方法がある。ひとつは、**ある資料を参照しながら自分でまとめる**という方法と、もうひとつは**字句通りに引用する**、という方法である。

　参照しながらまとめる際には、文章の主語の使い方と全体の流れに注意する。つまり、何の問題について論じているかをはっきりさせて、その問題に直接触れた他者の考えを要約しつつ、必要かつ十分な短さで要約して紹介する。そのうえで、自分自身の言葉で、それに対する解釈、批判、他との比較、同意などのコメントを加えていき、自らの問題解決への助けとしていく。人の説を長々と紹介していくうちに、誰が書いている文章なのかだんだんわからなくなっていくような記述は行ってはいけない。また、その際出典を脚注などできちんと示しておく必要がある（「附録　書式の手引き」を参照）。

　要約をしながら他者の考えを紹介した例を以下に示しておく。

　人がどのように死を受容するかということに関し、精神科医として臨床的に患者の死の過程を分析したE・キューブラー・ロスは、「死の5段階説」を唱えている[1]。彼女の言う「死の5段階」とはすなわち、死を告げられた患者は、まずその事実を「否認」する。第2段階では事実を認めるが、その不合理さに「怒り」を感じ、それを他人、神にぶつける。第3段階では死を引き延ばそうと神と何らかの「取引」をする[2]。それでもだめだと分かると第4段階で「抑鬱状態」となる。その上で第

5段階として死を静かに「受容」する、というのである。しかし、全ての人が「受容」に至るわけではないであろう。また、途中の段階で死ぬ患者も多い。いずれにせよ、末期の残された時間で急に死を受容するのは難しい。したがって、……

---

1) E・キューブラー・ロス『死ぬ瞬間——死とその過程について』，鈴木晶訳（東京：読売新聞社，1998 年）.
2) ロスのいう「神との取引」とは必ずしも宗教的なものではなく、「子供の結婚式まで」、「この仕事が終わるまで」、「あの木の葉が全て落ちるまで」と考えるようなことを指している。

字句通りの引用

　一字一句を正確に引用する場合は、「　　」のなかに囲むか（短い引用の場合）、あるいは前後を 1 行空け引用の全体を字下げする（3 行以上の長い引用の場合。詳しくは「附録　書式の手引き」を参照）。

　引用は、あとで解釈するための引用と、自分自身の解釈の裏付けとして、あるテキストを引用するという場合がある。引用には大切な原則がいくつかあるが、それを以下に簡単に書いておく。

　　ルール 1　引用自体に語らせてはならない
　　ルール 2　出典を明らかにする
　　ルール 3　正確に引用する
　　ルール 4　孫引きをしない

　ルール 1 の「引用自体に語らせてはならない」というのは、終始、語る自分がそこにいなければならない、ということである。自分自身が消滅して引用元の著者がレポートの内容を語っているようになってはならない。つまり、引用をしているうちに、自分が何を語ろうとしていたのかわからなくなるような引用の仕方は良くない（引用に語らせている例は次頁参照）。

　ルール 2 の「出典を明らかにする」に関しては、「附録　書式の手引き」を参照して、脚注などで出典を明示するようにする。これは、論文

やレポートを読んだ人が、同じものを見て検証できるようにするために大切な作業である。

ルール3「正確に引用する」であるが、勝手に加筆したり、訂正したりしてはならないということである。どうしてもコメントをつけなければならない場合は、ブラケット［　］のなかに入れてコメントする。また、原文が明らかに間違っているという場合は、［sic］あるいは［ママ］という記号を入れる。"sic" というのは、ラテン語で「そのままに」という意味で、論文中でよく使われる記号である。

ルール4「孫引きをしない」。孫引きというのは、誰かが引用したものを、その引用元を参照せずに引用することである。誰かが引用していたら、そのもととなった本を探して参照する。この原則は、アカデミックな作業では、これ以上さかのぼることができないところまで、情報源をたどっていかなければならない、と第3章で述べた原則と通じるものである。参照した文献が誤っていたりすると孫引きはすぐにばれてしまうし、そのときには論文やレポートに対する信頼を完全に失うことになる。

ただし、その文献が手に入らないとか、消失してしまったとか、理解できない言語で書かれているとかいう場合には、例外的にそれが許される場合もある。その際には、"cit. in:" という記号を使う。"cit." とは、これもラテン語の "citato" の略で、「〜引用されて」という意味である。この記号の前に原文の出典、この記号のあとに実際に参照した文献の出典を書けば良い。いずれにしても、**見たこともない文献を見たふりをして引用しては絶対にいけない。**

以下に引用自体に語らせている例と、その改善例を示す。

●悪い引用の例（引用を地の文と並置し、引用に語らせている）●

> 女性の社会進出や恋愛の自由化に伴って、近年男性も女性も、理想の相手が現れるまで結婚しない傾向が強まっている。「有業の若者について、年齢別に個人年収と配偶関係を見ると、男性では収入が高い者ほど結婚している傾向が明らかで、既婚率が50％を越えるのは、20代後半では年収500万円以上であり、30代前半では年収300万円以上であった。晩婚化、非婚

化の進展と求職者、ニート、フリーターの増加とは明らかに関連する」[1]の
である。

---

1) 小杉礼子他「若者の就業支援の現状と課題——イギリスにおける支援の展開と日本
の若者の実態分析から」『労働政策研究報告書』No. 35（2005）: 131（https://www.
jil.go.jp/institute/reports/2005/documents/035.pdf, 2019 年 8 月 8 日取得）.

●改善した例（引用を自分の主張の裏付けとして利用している）●

　女性の社会進出や恋愛の自由化に伴って、近年男性も女性も、理想の
相手が現れるまで結婚しない傾向が強まっている。労働政策研究・研修機
構の研究報告書『若者就業支援の現状と課題』では、男性の収入と既婚
率の統計的な関係を詳細に調査し、次のように述べている。

　　有業の若者について、年齢別に個人年収と配偶関係を見ると、男性で
　は収入が高い者ほど結婚している傾向が明らかで、既婚率が 50％を
　越えるのは、20 代後半では年収 500 万円以上であり、30 代前半では
　年収 300 万円以上であった。晩婚化、非婚化の進展と求職者、ニー
　ト、フリーターの増加とは明らかに関連する。[1]

この研究では、収入の低い男性が結婚しにくいということが統計的に裏付
けられている。このことは、裏を返せば、女性たちは一定の社会進出を果
たしたとはいえ、いざ結婚しようとする場合、自らの収入ではなく、男性
の収入を大きく問題にしているということを示していると言えるだろう。

---

1) 小杉礼子……

◉ 注の付け方

　注には主にふたつの種類がある。ひとつは、出典を示す注、もうひと
つは補足的な説明をする注である。

　注の付け方、とりわけそのなかでの出典の示し方にはいろいろなやり
方があるが、本書では脚注方式で、文献情報を略さずにフルに記述する方
式を説明することにする[4]。脚注方式とは、本文中の関連箇所に番号（ま

---

4) その他、注をすべて文章の最後にまとめて示す「後注方式」や、文章のなかに括弧でく

たは記号）をつけ、各ページの下部（脚部）に、その番号とともに、注釈内容や出典を記すやり方である。

　出典を表す注は、自分が直接どの資料をもとに論を展開しているかを示すのに役立つ。出典を示すというのは、アカデミックな文章の基本的なルールであるが、それをいちいち本文のなかで示すと、とても読みにくい文章になってしまうことを、注は防いでくれる。ウンベルト・エコは、その著書『論文作法』のなかで、「ある文を借用させてもらってきた本を注記するのは、負債を返すことである。」[5] と述べている。彼も述べるように、**注で出典を示すことは、アカデミック・スキルズを学ぶものの最低限の礼儀である**。それと同時に、第6章121〜122頁でも述べた学問の反証可能性を保証することにもつながる。つまり科学（学問）においては、誰かが同じ手続きで同じ検証を行ったときには、同じ結論に至らなければならない。その可能性を保証するということでもある。

　補足的な説明をする注は、補足的情報を本文に直接組み入れると文章が冗長になったり、論旨の流れを妨げるようなときに付加される。また、補足的な引用を行ったり、予想される反論に対してあらかじめ予防線を張っておくとか、翻訳をしたときの原文を記すときなどに使われる。なお、説明注のなかで他者の引用を行ったり、参照を行ったりしたとき（つまり、注に対して注をつけるとき）は、その注を括弧にくくりそのなかに "cf." という記号をつける（"cf." は ラテン語の "conferre"「比較せよ」、または英語の "confer"「参照せよ」の略）。

　脚注の付け方に関しての書式の詳細も、「附録　書式の手引き」を注意深く参照しながら、レポートや論文を仕上げよう。

くって記す方式などがある。括弧でくくる場合、（角倉 1997: 299）のように、文献を著者、出版年の順で列記した略号で記す場合もある。このときは必ず最後に引用文献リストもしくは参考文献リストをつけなくてはならない。

5）ウンベルト・エコ『論文作法——調査・研究・執筆の技術と手順』，谷口勇訳（東京：而立書房，1991），204.

☞ テスト

1. 論文で書式をきちんと統一することはなぜ重要なのですか。

2. 引用の４つのルールとは何ですか。

📖 アカスキ・シリーズでもっと学ぼう！

・論文が書けないときにどうすれば良いか、良い論文を書くには
   → 『グループ学習入門』118 〜 218 頁

・ダメレポートを改訂する
   → 『ダメレポート脱出法』131 〜 148 頁

・校正の方法
   → 『グループ学習入門』145 〜 150 頁

・仮説から論文へ、レポートの実例
   → 『クリティカル・リーディング入門』175 〜 191 頁

●慶應義塾大学出版会「アカデミック・スキルズ」シリーズ一覧●

アカデミック・スキルズ
グループ学習入門──学びあう場づくりの技法

慶應義塾大学教養研究センター監修　新井和広・坂倉杏介著
A5 判並製 172 頁　2013 年 4 月

アカデミック・スキルズ
データ収集・分析入門──社会を効果的に読み解く技法

慶應義塾大学教養研究センター監修　西山敏樹・鈴木亮子・大西幸周著
A5 判並製 184 頁　2013 年 6 月

アカデミック・スキルズ
資料検索入門──レポート・論文を書くために

市古みどり編著　上岡真紀子・保坂睦著
A5 判並製 160 頁　2014 年 1 月

アカデミック・スキルズ
学生による学生のためのダメレポート脱出法

慶應義塾大学教養研究センター監修
慶應義塾大学日吉キャンパス学習相談員著
A5 判並製 184 頁　2014 年 10 月

アカデミック・スキルズ
実地調査入門──社会調査の第一歩

慶應義塾大学教養研究センター監修　西山敏樹・常盤拓司・鈴木亮子著
A5 判並製 144 頁　2015 年 9 月

アカデミック・スキルズ
クリティカル・リーディング入門
──人文系のための読書レッスン

慶應義塾大学教養研究センター監修　大出敦著
A5 判並製 200 頁　2015 年 10 月

（2020 年 1 月現在）

附　録

書式の手引き

1. はじめに

　レポートや論文、クリティカル・レビュー（書評）など、大学で書かれるアカデミックな文章において、書式の統一は不可欠な事項である。書式の整っていない文章は、その学問的信頼度を著しく損ねることになる。大学で提出する論文においては、書式に細心の注意を払わなければならない。

　論文の書式には、研究分野の伝統によってさまざまな方式がある。ここに示したものはほんの一例に過ぎない。しかし、いずれの方式をとるにしても、ひとつの論文やレポートは終始一貫して同じやり方に従わなければならない。

　以下に示す書式は、大学の初年度段階におけるレポートや小論文、クリティカル・レビューを書く際に推奨される方式の一例をまとめたものである。ここに書かれていないケースや、各学問分野に応じた方式については、担当の教師の指示を仰ぐのが良いだろう。

2. レポートや論文の書式の一般的事項

2.1　筆記用具

　基本的に、パソコンの文書作成ソフト（マイクロソフト社 Word®、ジャストシステム 一太郎® など）を用いる。手書きの場合は鉛筆ではなく、黒または青のボールペン、または万年筆を使用する。

2.2　使用する用紙とレイアウト

1）用紙は A4 の用紙を使用し、原則的に横書きとする。余白は、上部 30mm、左右 25mm、下 20mm 以上取ること。手書きの場合は 400 字詰め原稿用紙を使用する。

2）1 ページの字数は、1000 字程度で統一すること。1 行 40 字程度、1 頁 25 行程度で統一し、行間を十分に取ること。

3）ページ番号は、下中央に必ず打つこと。表紙にはページ番号は記さず、本文から1頁とすること。

3. 本文の書式

3.1　表紙

　レポートや論文には、表紙をつける。その中央に題目を記す。副題がある場合は、二倍ダッシュ（——）を前後につけて記す。さらに、下右部に学部・学科名、学年、クラス名、学生番号、氏名を書く（指定の表紙の用紙がある場合はそれを利用する）。

3.2　本文

1）最初の頁には、1〜2行空白行を取ってタイトルを書く。

2）副題は二倍ダッシュ（——）に続けて書く。

3）タイトルの後1行空け、右部にそろえて学部・学科名、学年、クラス名、学籍番号、改行して氏名を記入する。

4）その後2行空けてから本文を始める。

5）章や節の見出しの部分には、前に1〜2行の余白を取る。

6）改行して新しい段落を書き始めるときは、一字分下げて書き出す。

ブッシュマンの再定住化政策は正しいのか[中央揃え]

──「共生」を考える──

経済学部 1 年 A 組

学籍番号 9876543

鳥居　夏帆

●開始ページの書き方例●

［ページ余白］

＞［2行空白］
＞
ブッシュマンの再定住化政策は正しいのか ―― 「共生」を考える　［←ゴシック体］
＞［1行空白］

表紙に	経済学部1年A組
書いた場合は　→	学籍番号 9876543
省略して良い	鳥居　夏帆

＞［2行空白］
＞
1.　はじめに ―― ブッシュマンとは　［←ゴシック体］
　人は一人では生きることはできない。他の人間や、動物、植物をはじめとする自然があってはじめて生きていくことができる。近年世界中で起こっている自然破壊や紛争をみると、この当たり前のように思えることが忘れられかけているのではないだろうかと思える。……　［←明朝体］
　　　　　　　　　　　……
の名称が支持されているのでこのレポートでも「ブッシュマン」という名称を使用する。
＞［2行空白］
＞
2.　ブッシュマンの旧来の生活　［←ゴシック体］
　1）ブッシュマン生活地域について　［←ゴシック体］
　ボツワナ共和国に住むブッシュマンの多くは、中央カラハリ動物保護区という自然保護区内に住んで……
　　　　　　　　　　　……
である。
＞［1行空白］
　2）生活の変化
　1981年に南部アフリカを襲った大旱魃と、それに伴う救援物資の配布が以上で述べたようなブッシュマンの生活に大きな変化をもたらした。援助の手

—1—

171

3.3 引用の書式

1）引用のうち短いもの（2行以下）は、「　」を用いて改行せずに続ける。

例：この意味で、《フーガの技法》を、フックス、ラモー、マッテゾンらによる彼「以前の体系的理論書に並ぶ地位を占めるもの」（シューレンバーグ 2001: 607）、とする捉え方は、たしかに当を得ている。

2）長い引用の場合（3行以上）は改行し、引用文の前後に1行分、左側に3文字分の余白を空ける。

例：

マッテゾンは、その著書『音楽的愛国者』のなかで、次のように述べている。

　理性なき習慣というものは、しばしば、ある言葉にもともとなかった悪意に満ちた意味をもたせるものである。……無分別な偽善者や偽善的愚か者は、教会における情緒のこもった多声音楽を聴き、理解もしないくせにあざけって言う。「劇場音楽のようだ」と。[1]

つまりマッテゾンは、劇的様式に影響をされた当時の教会音楽が、必ずしも万人に…

3.4 各種記号の使用法

名称	記号	用法	用例	注意
ナカグロ	・	語の並列 カナ書きの際の単語の区切り	交流・連携 レオナルド・ダ・ヴィンチ	ピリオドと位置の違いに注意
ピリオド	.	1. 欧米単語の省略 2. 名前の省略	ed. J. J. ルソー	
傍点	・・・	とくに力点を置く字句	とくに力点を置く	
引用符	" "	欧文の引用文・引用句		
ブラケット	[ ]	引用文中への補足・修正		
丸カッコ またはパーレン	( )	補足的な説明		
カギ	「 」	1. 和文の引用文 2. 雑誌論文等の和題目		
二重カギ	『 』	1.「 」内での引用文 2. 書名、雑誌名	『三田評論』2006年3月号	
ギュメ	〈 〉	とくに強調する特殊な語句		
ハイフン	-	外国語の単語の分節		
ダッシュ	—	挿入句		かな記号の音引き（例：カード）との違いに注意
二倍ダッシュ	——	和文タイトルの副題 挿入句など		
ナミセン	～	数字の範囲を表す	1685 ～ 1750	
コロン	:	「すなわち」の意味で使う 書籍や論文タイトルの副題	cf.: confer	
リーダー	……	中略		
ルビ		ふりがな（漢字の上に）	魑魅魍魎が跋扈	
下線	＿＿＿	語句の強調		欧文のイタリック体の代用としても使われる

3.5　和文を書くときの一般的注意

1）カッコ（　）、ピリオド（.）、コロン（：）などの記号、また算用数字の全角文字と半角文字は適切に区別し、統一的に用いること。

2）漢数字、算用数字（アラビア数字）、ローマ数字などの使い方には原則を定め、首尾一貫させる。

　　例：「第一の問題は…」、「第 1 の問題は…」

3）用字・用語は必ず的確に統一すること。

　　例：「特に」と「とくに」、「常に」と「つねに」、
　　　　　「十分」と「充分」

4）句点（。）、読点（、）、カギやカッコ（　」、』、）、〉、》等）の記号、また注番号が行末にきたときは、次の行に送らず、その行のなかに収める（文書作成ソフト等の禁則処理の設定を行うこと）。

5）句点（。）や読点（、）の直後に、カッコ（　）を挿入する場合、句点や読点はカッコの外に記す。

　　例：……という原則がある（横山の主張については下記に記述）。

6）誤字・脱字のないように気をつける。とくに、変換ミスに気をつける。

　　例：生ゴミが産卵している。風邪の予防には手荒いうがいが効果的である。

7）日本語の論文を書くときは、終始一貫して日本語を用いる。外国語の用語を使う場合は、原則的にカナ書きにし、必要な場合には原語を［　］内に併記する。

8）外国語をカナ書きするときは、原則として原語の単語の単位に合わせてナカグロ（・）を打つ。

　　例：×グローバルスタンダード

　　　　○グローバル・スタンダード

3.6　欧文を書くときの一般的注意

1）コンマ（,）、ピリオド（.）、セミコロン（;）、コロン（:）、疑問符（?）の後には、必ず半角スペースを取る。

2）カッコ（ ）、ブラケット［ ］、引用符" "、などの前後には半角スペースを取る。ただし文頭および 1）であげる記号が後に続く場合は、スペースは不要である。

　　例：

　　× Anglada,Lluis,and Nuria Comellas,2002,"What's Fair?Pricing Models in the Electronic Era."*Library Management* 23,nos.4/5:227–233.

　　○ Anglada, Lluis, and Nuria Comellas, 2002, "What's Fair? Pricing Models in the Electronic Era." *Library Management* 23, nos. 4/5: 227–233.

3）欧文の単語が行末に来て分綴が必要になった場合、単語を‐（ハイフン）で切ることができる箇所は音節の規則によって決まっている。必ず辞書で確かめること。

　　例：independence は、in-de-pend-ence で切ることができる。

　　　　　　　　　×　　indep-

　　　　　　　　　　　endence

4）大文字、小文字は適切に区別する。英語で、参考文献表や注で文献タイトル（書名、叢書名、雑誌名、論文題目など）を記す場合、以下の原則に従う。

英語の場合：

・タイトルと副題の頭文字、およびすべての名詞、代名詞、形容詞、動詞、副詞、従属接続詞（as, if, that など）の頭文字は大文字とする。

・等位接続詞（and, but, or など）、前置詞、冠詞（a, an, the）は、これがタイトルの最初に位置しない限り頭文字も含めて小文字とする。

4. 注の付け方

4.1　一般的注意

1）注は原則として脚注方式とする（ワープロ等の脚注機能を利用すると良い）。

2）注番号は該当する箇所の直後につける。単語につける場合は以下の例のようにし、番号の直後に半角のスペースをとる。

例：マルクスのいうところの資本[1]とは、……

3）引用への注番号の付け方は、3.3 の例を参照のこと。

4）注における文献表記の方法は、和書は 5.1.3、洋書は 5.2.3 を参照。

4.2　よく使われる略語

注などにおいてよく使われる略語を以下にあげておく。

ca.	約、頃［circa］
cf.	参照（注に対する注）［confer］
cit. in:	〜からの引用［citato in］
e. g.	例えば［exempli gratia］
et passim	その他随所に
ed.	編集、版、翻刻［edited, edition］

ibid.	同書［ibidem］（直前の注と同一）
idem	同著（直前の注と同著者の場合、著者を省略）
f., ff.	続く頁に［following page/pages］
op. cit.	前掲書［opere citato］（以前の注と同一の文献の場合、書名を省略）
p., pp.	頁［page/pages］
sic	原文のまま
vol., vols.	巻［volume, volumes］

5. 文献表記の方法

5.1　和書の文献表記

5.1.1　一般的注意

1）レポートや論文の末尾には、必ず使用した文献の一覧を「**参考文献**」として記す。

2）文献の表記は、**文献の奥付**（巻末にある著者、出版社、出版地などを記した部分）を見て正確に行うこと。文献の一部をコピーする場合は、必ず奥付もコピーしておくと良い。洋書の場合、奥付に相当する部分は、扉（書名、著者などを記したページ）の裏面などにあることが多い。

3）参考文献は、出版年の順に掲載する。

4）参考文献における筆頭の欧米人名のカナ表記は姓・名の順に記し、姓と名の間は全角コンマ（,）で区切る。ただし2番目以降の人物はその国の習慣に従い名・姓の順で記し、その間はナカグロ（・）で区切る。

5）参考文献表は、項目ごとに改行し、2行目以降を3文字分下げる。

6) 和書の文献表記では、全角コンマ（, ）、全角ピリオド（. ）、全角コロン（：）を使う。全角コンマ、全角ピリオド、全角コロンの後にスペースを空ける必要はない。副題は 2 倍のダッシュ（――）で示す。ダッシュの記号は、全角ハイフン（－）、半角ハイフン（-）、長音記号（ー）と異なるので注意。共著者、共訳者は、全角コンマ（, ）で区切る。算用数字は半角を用いる。

7) インターネット上の文書の場合は、直接閲覧可能な URL（インターネット上のアドレス、通常 http:// で始まる）を示す（ミスを防ぐために、コピーしてペーストする方が良い。URL を入力した際、文書ソフトが自動的にハイパーリンクを設定する場合は、ハイパーリンクを削除する）。

　　ただし、以下の場合は、提供機関のホームページまたはデータベースのメニューページの URL を記す。

1) 有料コンテンツなどで取得に購入が必要な場合
2) インターネット上の事典・辞書の場合
3) 構成がデータベース形式になっていたり、動的構成を含んだりしている場合（例えば末尾が .php となっている場合）
4) フレーム形式を利用している場合

また、DOI（Digital Object Identifier, コンテンツの電子データに付与される国際的な識別子）がある文書の場合は，これを記す。

5.1.2　和書の参考文献書式

1) 単行本

書式：　著者（または編者），出版年，『書名』，出版地：出版社（電子ブックの場合は版名と取得日）.

　例：　森本あんり，2015，『反知性主義』，東京：新潮社.
　　　　竹内正浩，2019，『ふしぎな鉄道路線――「戦争」と「地形」

で解きほぐす』，東京：NHK 出版（Kindle 版，2019
年 7 月 30 日取得）.

2）翻訳書

書式：　原著者，出版年，『書名』，翻訳者，出版地：出版社（電子
ブックの場合は URL と取得日）.

　例：　ピケティ，トマ，2014，『21 世紀の資本』，山形浩生，守岡
桜，森本正史訳，東京：みすず書房（Maruzen eBook
Library 版，2019 年 7 月 29 日取得）.

3）雑誌論文・記事

書式：　著者，出版年，「論文のタイトル」，『雑誌名』巻号：ページ
（電子版の場合は URL と取得日）.

　例：　那須敬，2008，「言語論的転回と近世イングランド・ピュー
リタン史研究」，『史学雑誌』117 巻 7 号：1301-1314
（https://doi.org/10.24471/shigaku.117.7_1301, 2019
年 7 月 29 日取得）.

4）新聞記事

書式：　著者（記名記事でない場合は社名），出版年，「記事タイト
ル」，『新聞名』発行日，版や刊，ページ（電子版の場合は、
データベース名，URL，取得日）.

　例：　鶴光太郎，2019，「働き方改革と生産性向上　従業員の理解、
業績に直結（経済教室）」，『日本経済新聞』，2019 年 7
月 5 日，日刊，25.

　　　　朝日新聞社，2019，「（社説）大学入試英語　受験生の不安に
応えよ」，『朝日新聞』2017 年 7 月 30 日，朝刊，10
（聞蔵 II ビジュアル，http://database.asahi.com，2019
年 8 月 1 日取得）.

5）事典項目

冊子体

書式：　著者（不明の場合は著者不明），出版年，「項目タイトル」，
　　　　『事典名』巻次，ページ.

　例：　ディーン，ウィントン，1994，「批評」，『ニューグローヴ世界
　　　　　音楽大事典』第 14 巻，202-212.

オンライン

書式：　著者（不明の場合は著者不明），最終アップデート年，「項目
　　　　タイトル」，『事典名』（URL，取得日）.

　例：　吉田精一，2006，「与謝野晶子」，『ブリタニカ・オンライン・
　　　　　ジャパン』（https://www.britannica.co.jp/online/bolj/,
　　　　　2019 年 7 月 30 日取得）.

6）ウェブ上の文書

書式：　著者・発行者，公表年または最終アップデート年，「文書名」，
　　　　必要に応じて文書の作成日（URL，取得日）.

　例：　衆議院，2017，「第 193 回国会　衆議院　憲法審査会会議録
　　　　　第 7 号会議録」，2017（平成 29）年 6 月 1 日（http://
　　　　　kokkai.ndl.go.jp，2019 年 7 月 30 日取得）.

　例：　国税庁，2019，「民間給与実態統計調査 民間給与実態統計 結
　　　　　果表（2016 年）」（https://www.e-stat.go.jp，2019 年 7
　　　　　月 30 日取得）.

5.1.3　本文における引用文献・参照文献の提示方法（和書）

　本文に引用文献・参照文献を表記する場合、1）言及した直後に（横
山 2001: 222）のように、著者名、出版年、該当ページを（　）で
括って示す方法と、2）脚注または後注で示す方法がある。

5.1.3.1　引用文献・参照文献を、本文中に（　）で括って示す場合

1）形式：（著者 出版年：ページ数）

単著の場合　**例**：（横山 2017: 233-235）

著者 2 名まで共著の場合は、著者をナカグロで区切って示す。

例：（湯川・佐藤 2001: 12）

著者 3 名以上の場合筆頭著者の後に「他」と記す。

例：（佐藤他 2019: 23）

この形式における文字の全角・半角の区別は以下のようにする。

2）文中に参照文献著者の姓が現れる場合は、それを省略することができる。

　例：　湯川はこの主張に関して極めて否定的な見解をもっていたが（2001: 43-44）、佐藤はこれに対して詳細に再検討を行った（2018: 45-60）。

3）注は関連の語句・文の直後、**読点（、）や句点（。）**の前に記す。ただし、引用の場合は引用の「　」の直後、または長い引用の場合は引用の段落の直後、句点（。）がある場合は句点の後に記す。3.3（172 頁）を参照。

5.1.3.2　引用文献・参照文献を注（脚注または後注）で示す場合

1）脚注において、和書を記す場合は、下記の**例**に従う。その場合、文献表における和書の書式と異なるので注意する。

2）ただし、カナ表記の欧米人名に関しては、その国の習慣にしたがって名・姓の順に記し、その間はナカグロ（・）で区切る。

3）注においては、既出の文献を「同書」「同著」「前掲書」などと書いて略記することができる（下記の例を参照）。

・同書：　　　直前の文献の表記の全体を省略。

・同著：　　　直前の文献の著者名を省略。

・前掲書：　　以前に出てきた同著者の文献。著者名は省略できない。

　例：1. 単行本、2.「同書」の使い方、3. 翻訳書、4.「同著」の使い方、5. 雑誌論文、6.「前掲書」の使い方、7. ウェブ上の文書。

1. 森本あんり『反知性主義』（東京：新潮社，2015），23.

2. 同書，67.

3. トマ・ピケティ『21 世紀の資本』，山形浩生，守岡桜，森本正史訳（東京：みすず書房，2014），55.

4. 同著『格差と再分配——20 世紀フランスの資本』，山本知子他訳（東京：早川書房，2016），66.

5. この問題については、那須が次の論文で詳しく論じている。那須敬「言語論的転回と近世イングランド・ピューリタン史研究」，『史学雑誌』117 巻 7 号（2018）：1311.

6. 森本　前掲書，26.

7. 衆議院「第 193 回国会　衆議院　憲法審査会会議録　第 7 号会議録」，2017（平成 29）年 6 月 1 日（http://kokkai.ndl.go.jp，2019 年 7 月 30 日取得）.

5.2　洋書の文献表記

5.2.1　一般的注意

1）3.6 に記した事項に、よく注意を払うこと。洋書の場合、文献表における表記と、注における引用文献・参照文献としての表記は、大きく異なるのでよく注意する。

2）著者名は、姓・名の順に書き、姓と名の間はコンマ（,）で区切る。

著者が 2 名以上の時は、2 人目以下はその国の習慣に従い、名・姓の順にとし、名・姓の間はスペースで区切る。

3）書名、雑誌名はイタリック体で記し、論文名、記事名は " " 内に記す。

4）洋書の本題と副題はコロン（:）で区切る。

5.2.2　洋書の参考文献書式

1）単行本

Kane, Robert, 1996, *The Significance of Free Will*, New York: Oxford University Press.

2）雑誌論文

Hedger, Stephen C., Shannon L. M. Heald, and Howard C. Nusbaum, 2013, "Absolute Pitch May Not Be So Absolute," *Psychological Science* 24, no. 8: 1496-502 (JSTOR, https://www.jstor.org, retrieved July 16, 2019).

3）論文集の一論文

Notomi, Noburu, 2004, "Ethical Examination in Context: The Criticism of Critias in Plato's Charmides," Maurizio Migliori and Linda M. Napolitano Valditara eds., *Plato Ethicus: Philosophy is Life*, Sankt Augustin: Academia Verlag, 245–254.

4）新聞記事

Eddy, Melissa, 2013, "East German Model City Rusts, Quarter-Century After Berlin Wall's Fall," *New York Times*, Nov 4, 2013, A6 (ProQuest Historical Newspapers, https://www.proquest.com/products-services/pq-hist-news.html, retrieved August 1, 2019).

5）事典項目

Rosand, Ellen and Beth L. Glixon, 2002, "Strozzi, Barbara [Valle, Barbara],"
   Grove Music Online (Oxford Music Online, https://www-
   oxfordmusiconline-com, retrieved July 30, 2019).

6）ウェブ上の文書

Wakayama Tourism Federation, n. d., "World Heritage: The Kumano Kodo
   Pilgrimage Routes" (The Official Wakayama Travel Guide, https://
   en.visitwakayama.jp/themes/world-heritage-the-kumano-kodo-
   pilgrimage-routes, retrieved August 9, 2019).
注）公表年、更新年がわからない場合は n. d.（=no data の略）と示す。

5.2.3　本文における引用文献・参照文献の提示方法（洋書）
　和書の場合と同様に、本文中に（　）で括って示す方法と、脚注・後注
で示す方法がある。

1）本文中に（　）で括って示す場合
　　形式（文字・スペースはすべて半角）：（著者の姓 出版年：ページ数）
　　例：　著者 1 名　　（Breig 2001: 23-44）
　　　　　　著者 2 名　　（Breig and Wolf 2002: 34）
　　　　　　著者 3 名以上（Breig et al. 2003: 454）

2）脚注・後注で示す場合
　著者名は、名（first name）・姓（family name）の順に記す。下記の例
にしたがって、書式を整える。

3）書名、雑誌名はイタリック体で記し、論文名、記事名は"　"内
　に記す。

　例：1.　単行本、2.　idem の使い方、3.　ibid. の使い方、4.　雑誌論文、

5. 論文集の一論文。

1. Robert Kane, *The Significance of Free Will* (New York: Oxford University Press, 1996), 12-14.

2. Idem, *A Contemporary Introduction to Free Will* (New York: Oxford University Press, 2005), 101.

3. Ibid., 51.

4. Stephen C. Hedger, Shannon L. M. Heald, and Howard C. Nusbaum, "Absolute Pitch May Not Be So Absolute," *Psychological Science* 24, no. 8 (2013): 1500 (JSTOR, https://www.jstor.org, retrieved July 16, 2019).

5. Noburu Notomi, "Ethical Examination in Context: The Criticism of Critias in Plato's Charmides," Maurizio Migliori and Linda M. Napolitano Valditara eds., *Plato Ethicus: Philosophy is Life* (Sankt Augustin: Academia Verlag, 2004), 246.

著者略歴

佐藤望（さとう・のぞみ）
　国際基督教大学教授。東京藝術大学、ドイツ、ボーフム大学で音楽学を学び、東京藝術大学助手、慶應義塾大学専任講師・助教授・教授を経て、2019年より現職。専門領域は音楽学、特に17〜18世紀ドイツ音楽史、音楽理論、宗教音楽思想研究。慶應義塾大学教養研究センターの活動を通じて大学教育研究にも関わる。2003年以来、教養研究センター基盤研究の幹事（2011年より座長）として大学カリキュラム研究に継続して関わってきた他、2005〜2008年に教養研究センター副所長を務める。訳書に『バッハの鍵盤音楽』（小学館、2001年）、著書に『ドイツ・バロック器楽論』（慶應義塾大学出版会、2005年）の他、ドイツ音楽史、鍵盤演奏法、大学教育、音楽教育を扱った論文がある。音楽学博士。

湯川武（ゆかわ・たけし）
　元慶應義塾大学名誉教授。1941年生まれ。1972年カイロ・アメリカ大学大学院修士課程修了。中東イスラーム史専攻。主な著作に『イスラーム国家の理念と現実』（編著、栄光教育文化研究所、1995年）、『角川世界史事典』（共編著、角川書店、2001年）、『アラブの人々の歴史』（A・ホーラーニー著・監訳、第三書館、2003年）、『統治の諸規則』（アル＝マーワルディー著・訳、慶應義塾大学出版会、2006年）などがある。2014年3月没。

横山千晶（よこやま・ちあき）
　慶應義塾大学法学部教授。慶應義塾大学大学院文学研究科博士課程修了。専門は19世紀のイギリス文学およびイギリス文化。当時の表象文化、および身体研究が目下の研究テーマである。主要著作にウィリアム・モリス著『ジョン・ボールの夢』（翻訳、晶文社、2000年）、『身体医文化論——感覚と欲望』（共著、慶應義塾大学出版会、2002年）、*Japanese Women: Emerging from Subservience, 1869–1945*（共著、Global Oriental、2005年）、ジョージ・P・ランドウ著『ラスキン——眼差しの哲学者』（翻訳、日本経済評論社、2010年）、『ジョン・ラスキンの労働者教育——「見る力」の美学』（慶應義塾大学教養研究センター選書、2018年）などがある。

近藤明彦（こんどう・あきひこ）
　慶應義塾大学名誉教授。元慶應義塾大学教養研究センター副所長（2002〜2006年）。1978年日本大学文学研究科教育学専攻博士前期課程修了。1995年から2019年まで慶應義塾大学体育研究所教授。1991年から92年までドイツケルン体育大学留学。専門分野はスポーツ心理学。国際スポーツ心理学会理事、日本スポーツ心理学会理事を歴任。

編集協力

市古みどり（慶應義塾大学病院事務局次長）

小菅隼人（慶應義塾大学理工学部教授）

下村裕（慶應義塾大学法学部教授）

鈴木伸一（慶應義塾大学医学部専任講師）

羽田功（慶應義塾大学名誉教授）

増田直衛（慶應義塾大学名誉教授）

武藤浩史（慶應義塾大学法学部教授）

アカデミック・スキルズ　第3版
　　——大学生のための知的技法入門

2006年10月20日　初版第1刷発行
2012年9月29日　第2版第1刷発行
2020年2月20日　第3版第1刷発行
2023年12月27日　第3版第4刷発行

著　者————佐藤 望［編著］・湯川 武・横山 千晶・近藤 明彦
発行者————大野友寛
発行所————慶應義塾大学出版会株式会社
　　　　　　　〒108-8346　東京都港区三田2-19-30
　　　　　　　TEL〔編集部〕03-3451-0931
　　　　　　　　〔営業部〕03-3451-3584〈ご注文〉
　　　　　　　　　〃　　　03-3451-6926
　　　　　　　FAX〔営業部〕03-3451-3122
　　　　　　　振替　00190-8-155497
　　　　　　　https://www.keio-up.co.jp/
装　丁————廣田清子
印刷・製本————株式会社 丸井工文社
カバー印刷————株式会社 太平印刷社

慶應義塾大学出版会

アカデミック・スキルズ

グループ学習入門
—学びあう場づくりの技法

慶應義塾大学教養研究センター監修／新井和広・坂倉杏介著　信頼できるグループの作り方、アイデアを引き出す技法、ITの活用法、ディベートの準備など、段階に合わせて、気をつけるポイントを紹介。"失敗しない"グループ学習の秘訣を伝授する。

定価 1,320円（本体 1,200円）

データ収集・分析入門
—社会を効果的に読み解く技法

慶應義塾大学教養研究センター監修／西山敏樹・鈴木亮子・大西幸周著　正しいデータ分析とは、どのようなものか？　研究者、大学生、大学院生、社会人に向けて、モラルや道徳を守りながら、人や組織の行動を決定づけるデータを収集・分析し、考察や提案にまとめる手法を紹介。

定価 1,980円（本体 1,800円）

資料検索入門
—レポート・論文を書くために

市古みどり編著／上岡真紀子・保坂睦著　レポートや論文執筆を行う際に、自分が書こうとするテーマや考えを固めるために必要な資料（根拠や証拠）を検索し、それらを入手するまでの「検索スキル」を身につけてもらうための入門書。

定価 1,320円（本体 1,200円）